Photoshop & Illustrator & Firefly

生成AI

デザイン制作

入門ガイド

ADOBE JAPAN
Prerelease Advisor
タマケン

SB Creative

INTRODUCTION はじめに

　はじめまして、デザイナーのタマケンです。私は各種SNSを通して、PhotoshopとIllustratorのチュートリアルを発信しています。最近はアドビのアプリケーションの生成AI機能が大きく進化しており、**上手に活用すればデザインの質を高めて時短になる、とても便利な機能が続々と登場しています。**この新しい魅力を多くの人たちに伝えたくて、この本を執筆しました。

　突然ですが、デザイン制作をしている時、次のような悩みに直面したことはありませんか?

横長の写真 ……

…… クライアント(依頼者)は「縦長のデザイン」を希望

写真の上側にロゴやイベント情報などを配置したい ……

…… 写真の上側が見切れてしまっているのでどうしようか…

この悩みは生成AIを使えば、たった数秒で、サッと解決できます!

生成AIで写真の背景が広げられた!

これで縦長のデザインが作れる!

※ロゴや情報まで配置した完成デザインはP.032参照。

よくある悩みをもう1つ、デザインのアイデアはあるけれど、スキルがなくて作れない。もしくは作ろうとすると、相当な労力がかかる見込みがあり、制作する時間がない…そんなことはありませんか？

▼「春の桜」の写真

▼「秋の紅葉」の写真

クライアントから
「春」と「秋」の ……
写真が提供された

この2枚の写真を自然
…… に繋げて春と秋の
村の魅力を伝えたい

2枚の画像を上手に
合成するには ……
どうすればいいか？

レタッチ、加工、
…… 合成のスキル？
最後は手作業？

この悩みは生成AIを使えば、たった数秒で、サッと解決できます！

画像の境目が
信じられ
ないほど
自然に合成
できた！

1クリックで
簡単にできる！

※ロゴやキャッチコピーまで配置した完成デザインはP.127参照。

　本書は、「**Photoshop**」「**Illustrator**」「**Firefly**」の生成AI機能について、基礎から応用、デザイン制作への活用方法までを学べる入門書です。生成AIを活用した新しい制作フローや、よくある失敗例、気を付けること、法的な注意事項といったことまで一通り取りそろえていますので、この1冊だけでアドビの生成AIを使ったデザイン制作に必要な知識を全部学ぶことができます。

　アドビの生成AIは、他の生成AIよりも著作権に配慮されており、これからのクリエイターにとって欠くことができない"新しい道具"となり得ます。生成AIをうまく活用して、あなたのデザイン制作をより素晴らしいものにしていきましょう。

タマケン

HOW to USE THIS BOOK 本書の使い方

CHAPTER 1ではアドビの生成AIの特徴が一通り学べます。

生成AIの各アプリの機能、メリット・デメリット、得意分野・不得意分野、注意事項、商用利用の話、新しい制作フローなどをまとめておりますので、これから生成AIを使っていきたいと考えている人は確認しておくといいでしょう。

CHAPTER2からはデザイン制作の実務に生成AIを活用していく方法が学べます。CHAPTER 2 〜4がPhotoshop、CHAPTER 5がIllustrator、CHAPTER6がFireflyとなります。

本の特徴として、**デザイナーの悩みや課題、クライアントからの要望を起点に作られている**ので、生成AIの利用方法も**デザイン制作の実務に即している**と言えます。各項目の2ページ目以降の制作手順の見本を確認しつつ仕事に活かしていけば、生成AIを利用したデザインが作れます。

| 完成見本（1ページ目） | 制作手順の見本（2ページ目以降） |

Before
クライアントから提供された素材

After
生成AIを活用して作成した完成見本

ここに困った！
デザイン制作をする際の困りごとや悩みごとを記載

Check
クライアントからの要望と生成AIを使う理由

制作手順
生成方法や使用の際のポイントなどがわかる

その後には、各項目のAI機能を使ったアイデアとアレンジの見本を多数掲載しています。

生成AIは「**同じ作業をしていても、毎回同じ結果が出せるとは限らない仕様**」です。これを理解すると、本書の作例と完全に同じものを作ることは不可能であり、重要ではないことがわかります。

重要なのは、生成AIの機能がどのように使えるのかアイデアの引き出しをたくさん持つこと、そして仕事で使える完成形のデザインまでまとめられるイメージを持つことです。

そこで本書では同じ生成AIの制作手順でも様々なアイデアとアレンジができることを見せており、場合によっては失敗例なども含める、様々な見本を用意しています。

著者が作った作例は**合計350点以上**にも上ります。同じ生成AIの活用テクニックでも、本当に様々なシーンで利用でき、デザインに反映できることがわかるでしょう。この本は生成AIの制作手順が詳しく学べて、活用アイデアと見本がたっぷりわかる、新しい時代のデザイン制作の入門ガイドです。

アイデア見本	アレンジ見本

水面を合成する様々な使い方とアイデア

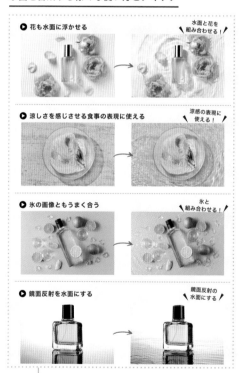

デザインのアレンジ見本

生成AIのアイデア見本
同じ生成AIの機能と制作手順でも様々な作例で利用でき、活用次第で、様々なアイデアが実現できることを見本と共に紹介

デザインのアレンジ見本
同じ生成AIでも発想を変えたり、プロンプトを変えたりすることで、様々なデザインにまとめられることを紹介

本の様々な場所に掲載されているCOLUMNは、「**生成AIの新情報**」「**注目すべき機能**」「**応用や活用のテクニック**」「**生成AIを使う際に気を付ける注意点**」「**法律の専門家による注意事項**」などを掲載しています。COLUMNも生成AIを活用する上でとても重要な内容であり、ぜひ読んで欲しい項目です。

COLUMN

COLUMN | コラム

背景を広げた画像をデザインに使う時に気を付けること

背景を広げた画像はデザインを作成する上でとても重宝しますが、**虚偽広告にならないように気を付けなければいけません**。例えば、旅行会社の依頼で列車旅のツアーのポスターを作ると仮定します。

Aの元画像を、Bに拡張して、Cのポスターのデザインを作成したとします。

この場合、「橋」のように場所が定まっている構造物なのに、実際とは異なる景色の広告になってしまいます。見る人に誤解を与える可能性があるのです。

拡張した画像をデザインに使う際は、使用しても問題が出ないデザインか検討したり、画像がイメージであることを記載したりして、十分に気を付けてから使用しましょう。

Aの元画像。

生成拡張

実際とは異なる景色の広告になってしまった

Bの画像。

Cのデザイン。

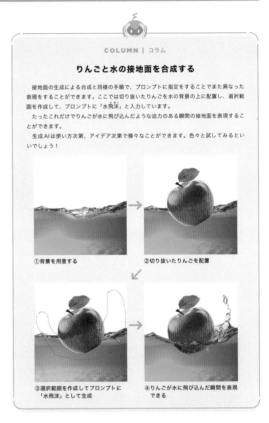

COLUMN | コラム

りんごと水の接地面を合成する

接地面の生成による合成と同様の手順で、プロンプトに指定をすることでまた異なった表現をすることができます。ここでは切り抜いたりんごを水の背景の上に配置し、選択範囲を作成して、プロンプトに「水飛沫」と入力しています。

たったこれだけでりんごが水に飛び込んだような迫力のある瞬間の接地面を表現することができます。

生成AIは使い方次第、アイデア次第で様々なことができます。色々と試してみるといいでしょう！

①背景を用意する

②切り抜いたりんごを配置

③選択範囲を作成してプロンプトに「水飛沫」として生成

④りんごが水に飛び込んだ瞬間を表現できる

節項目の頭や本文、COLUMNなど、随所に出てくるQRコードは動画が確認できる補助特典※です。QRコードをスマートフォンなどのカメラで読み込むと、簡単なショート動画やアドビ公式の動画などにアクセスすることができ、学ぶことができます。操作の流れを知りたい時や、著者の説明から学びたい時などに活用してください。

QR CODE

※本書の補助特典はYouTube等の外部サービスを利用しています。本書とは別のサービスであり、今後変更される可能性があります。また、本書の内容とはアプリケーションのバージョンが異なっていることもあり、制作手順が変わっていることもあります。あくまで学習を補助する特典となりますことご承ください。また、スマートフォンでの動画の視聴には別途通信費がかかることがあります。Wi-Fi環境で利用するなどしてご対応ください。

CONTENTS 目次

CHAPTER 1	アドビの生成AIとは
1-1	アドビの生成AIの特徴 ……………………………… 014
1-2	各アプリのAI機能について ……………………… 018
1-3	生成AIのメリット・デメリット ……………… 022
1-4	生成AIの得意分野・不得意分野 …………… 026
1-5	生成AIを活用した新しい制作フロー ……… 030

CHAPTER 2　画像の拡張・生成（Ps）

▸▸▸ P.032

▸▸▸ P.040

2-2

人物の見切れを生成しよう

▸▸▸ P.047

2-3

画像に新たな要素を生成しよう

2-1

画像の背景を広げよう

▸▸▸ P.054

2-4

ゼロから画像を生成しよう

▸▸▸ P.060

2-5

テクスチャー素材を生成しよう

▸▸▸ P.066

2-6

光の素材を生成しよう

▸▸▸ P.072

2-7

植物の影を生成しよう

>>> P.082

3-1

不要なものを削除しよう

>>> P.089

3-2

画像の背景を変更しよう

>>> P.098

3-3

人物画像の服装を変更しよう

>>> P.104

3-4

水面を合成しよう

>>> P.113

3-5

水面の反射を合成しよう

>>> P.120

3-6

接地面を自然に合成しよう

>>> P.127

3-7

画像の境目を合成しよう

>>> P.134

3-8

低解像度画像をきれいにしよう

>>> P.142

3-9

写真を修復してカラー化しよう

CHAPTER 4　文字の加工（Ps）

▶▶▶ P.152

4-1

砂浜に文字を描こう

▶▶▶ P.158

4-2

石板に文字を彫刻しよう

▶▶▶ P.164

4-3

刺繍の文字を作ろう

▶▶▶ P.172

4-4

紙の切り抜き文字を作ろう

CHAPTER 5　ベクターデータの生成AI（Ai）

▶▶▶ P.184

5-1

テキストから配色を生成しよう

▶▶▶ P.192

5-2

イラストを生成しよう

▶▶▶ P.200

5-3

参照してイラストを生成しよう

▶▶▶ P.206

5-4

風景のイラストを生成しよう

▸▸▸ P.212

5-5
パターンを生成しよう

▸▸▸ P.218

5-6
モックアップを作成しよう

▸▸▸ P.223

5-7
アウトライン化をテキストに戻そう

CHAPTER 6　最新の生成AI（Firefly）

6-1　Fireflyでできること ……………………………………………… 228
6-2　「テキストから画像生成」の使い方 ………………………… 230

▸▸▸ P.236

6-3
キャラクターを生成しよう

▸▸▸ P.242

6-4
人物モデルを生成しよう

▸▸▸ P.250

6-5
テキストから画像生成の作例見本

COLUMN | コラム

コンテキストタスクバーとは ……………………………………………… 035
背景を広げた画像をデザインに使う時に気を付けること ……………… 037
人物画像を生成拡張する時に気を付けること …………………………… 044
新たな要素を生成する時に気を付けること ……………………………… 051
プロンプトの応用例 ……………………………………………………… 057
ゼロから画像を生成する時に気を付けること …………………………… 058

植物の影を合成する時に気を付けること 078

アドビ公式動画① 初心者向け：生成AIを活用しよう 078

Photoshop (Beta) の新機能① 079

「削除ツール」を使う時に気を付けること 086

背景を変更する時に気を付けること 092

Photoshop (Beta) の新機能② 096

自分で撮影した画像の背景を後から生成する 097

服装を変更する時に気を付けること 101

水面を合成する時に気を付けること 110

アドビ公式動画② 「生成塗りつぶし」をデザイン制作に活用しよう！ ... 117

水面の反射を合成する時に気を付けること 117

接地面を合成する時に気を付けること 123

りんごと水の接地面を合成する 126

境目を生成する時に気を付けること 130

「2枚の画像を繋ぐデザイン」で表現できること 133

Photoshop (Beta) の新機能③ 140

写真を修復する時に気を付けること 146

ニューラルフィルターの種類① 148

ニューラルフィルターの種類② 150

砂浜に書かれた文字を生成する時に気を付けること 157

石板に彫刻した文字を生成する時に気を付けること 162

素材がない状態で作っていくデザイン 168

刺繍の文字を生成する時に気を付けること 169

紙の切り抜き文字を生成する時に気を付けること 175

その他の文字加工の生成例 178

一瞬で狙い通りに表現できる！Photoshopの「生成塗りつぶし」を文字の加工に活用しよう ... 180

生成塗りつぶしで文字を加工するメリットとデメリット 181

生成再配色のサンプルプロンプト 191

生成再配色を使う時のコツ 191

生成したイラストをデザインに使う時に気を付けること① 195

コンテキストタスクバーを使いたくない時 196

テキストからベクター生成の詳細設定 197

今後予想されるアップデート「ベクターを生成」 197

ピッカーを使う時に気を付けること 204

生成したイラストをデザインに使う時に気を付けること② 209

パターンをデザインに使用する時に気を付けること 215

モックアップのパネル 222

Retype機能の注意点 226

Adobe Expressで使える機能 229

近日公開 Fireflyの新機能 (音声と動画) 229

Fireflyの「テキストから画像生成」 234

Fireflyのギャラリーからインスピレーションを得よう 235

生成AIを使った人物モデルの注意点 245

イラストから人物写真を生成 248

生成したイラストをベクターデータにする 249

法律の専門家に聞く生成AIの注意事項 252

CONTACT 本書に関するお問い合わせ

この度は小社書籍をご購入いただき誠にありがとうございます。小社では本書の内容に関するご質問を受け付けております。本書を読み進めていただきます中でご不明な箇所がございましたらお問い合わせください。なお、お問い合わせに関しましては下記のガイドラインを設けております。恐れ入りますが、ご質問の際は最初に下記ガイドラインをご確認ください。

■ ご質問の前に

小社Webサイトで「正誤表」をご確認ください。最新の正誤情報をサポートページに掲載しております。

本書サポートページ
https://isbn2.sbcr.jp/25108/

上記ページの「正誤情報」のリンクをクリックしてください。なお、正誤情報がない場合、リンクをクリックすることはできません。

■ ご質問の際の注意点

- ご質問はメール、または郵便など、必ず文書にてお願いいたします。お電話では承っておりません。
- ご質問は本書の記述に関することのみとさせていただいております。従いまして、○○ページの○○行目というように記述箇所をはっきりお書き添えください。記述箇所が明記されていない場合、ご質問を承れないことがございます。
- 小社出版物の著作権は著者に帰属いたします。従いまして、ご質問に関する回答も基本的に著者に確認の上回答いたしております。これに伴い返信は数日ないしそれ以上かかる場合がございます。あらかじめご了承ください。

ご質問送付先

ご質問については下記のいずれかの方法をご利用ください。

▶Webページより

上記のサポートページ内にある［サポート情報］→［お問い合わせ］をクリックすると、メールフォームが開きます。要綱に従って質問内容を記入の上、送信ボタンを押してください。

▶郵送

郵送の場合は下記までお願いいたします。

〒105-0001　東京都港区虎ノ門2-2-1　SBクリエイティブ　読者サポート係

NOTES 注意事項

- 本書で紹介する内容は執筆時の最新バージョンであるAdobe Photoshop、Adobe Illustrator、Adobe Firefly、MacOS、Windowsの環境下で動作するように作られています。
- 生成AIは、常に進化を続けています。将来のアップデートによって手順やインターフェースが変更されたり、同じプロンプトを使用しても同じ結果が得られない場合があります。
- 本書内に記載されている会社名、商品名、製品名などは一般に各社の登録商標または商標です。本書中では®、™マークは明記しておりません。
- 本書の出版にあたっては正確な記述に努めましたが、本書の内容に基づく運用結果について、著者およびSBクリエイティブ株式会社は一切の責任を負いかねますのでご了承ください。
- 本書ではApache License 2.0に基づく著作物を使用しています。

アドビの生成 AI とは

世界には多くの生成 AI が存在しますが、アドビ社が開発する生成 AI
「Firefly」には独自の特徴があります。

この章では、アドビの生成 AI の特徴と、使用するメリット・デメリッ
トを詳しく解説し、デザイン制作に効果的に取り入れる方法につい
て学びます。まずは、アドビの Firefly とはなんなのか、どのよう
に他の生成 AI と異なるのかを理解し、それを自身の作業に取り入れ
る準備をしていきましょう。

Photoshop & Illustrator & Firefly
An Introductory Guide to Generative AI Design

🔺 1-1 アドビの生成AIの特徴

生成AIとは

　2022年11月に登場したChatGPTを筆頭に、最近は人工知能（AI）を使った**生成AI**のサービスが続々と登場しています。

　生成AIには文章、画像、音声、動画といった様々なコンテンツの生成を行えるサービスがあり、中にはまるで対話をするようにテキストで指示を行うことで、新しいデータを生成することができるものもあります。生成AIが浸透することにより世界中で仕事の進め方が変わっていくのではないか。生成AIは生産性の向上に使えるのではないか、といった大きな期待を寄せられています。

「Adobe Firefly」とは

　Adobe Firefly（以降**Firefly**）とは、クリエイター向けソフトウェア最大手であるアドビ社が開発する生成AI機能を持つWebアプリです。

　ユーザーは簡単な操作や、「**プロンプト（Prompt）**」と呼ばれるAIへの対話形式の指示だけで、魅力的な写真やイラストといった画像を生成することができます。また、画像の生成だけではなく、Photoshopでレタッチを行うように、画像の編集にも技術を利用することができます。

　アドビ社はFireflyで培った技術を、ブラウザーから利用するWebアプリだけでなく、PhotoshopやIllustratorといったパソコンにインストールするアプリケーションに順次移してきています。クリエイターやデザイナーが日常的に使うアプリケーションの中で、魅力的な生成AIの機能が使えるようになってきているのです。

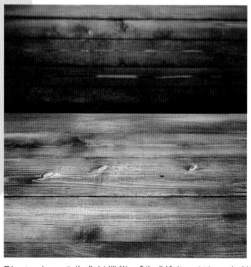 →

Photoshopの生成AI機能、「生成塗りつぶし」を利用してテーブルの上にオレンジを生成した。

Illustratorの生成AI、「テキストからベクター生成」
を利用してベクターのイラストを作成した。

Fireflyの「テキストから画像生成」を利用して何も
ないところから人物の画像を生成した。

アドビの生成AIの特徴

アドビの生成AIの大きな特徴は次の3つです。

> ①**クリエイターに嬉しい！ 商用利用が可能な安全な設計！**
> ②**日本語で利用できる！** ※100を超える言語に対応
> ③**いつも利用しているアプリケーションで使える！**

①クリエイターに嬉しい！ 商用利用が可能な安全な設計！

画像生成AIの開発には大量の学習データが必要になってくるのですが、Firefly以外の生成AIでは、学習データに著作権が不明確なデータや、無断使用しているのではないかと思われるデータが含まれていたりしていました。これはビジネス利用には大きなリスクとなります。

そこでアドビ社のFireflyでは、AIの学習データにAdobe Stockの画像や著作権切れコンテンツ、オープンライセンスのコンテンツなど、権利関係が明確な画像のみを利用して学習を行っています。最大の懸念事項であるデータの著作権問題をこのようにして克服しているのです。

> ── アドビの生成AIが利用している学習データ ──
> ・Adobe Stockの画像 … アドビがライセンスを取得した画像（エディトリアルを除く）
> ・著作権切れ（パブリックドメイン）の作品 … 作者が没後70年以上経過した作品（日本の場合）
> ・オープンライセンスの作品 … 作者の定める規定により自由に使える作品

> **Point**
>
> 学習データとしてAdobe Stockの画像が使用された場合は、そのクリエイターに報酬が還元される仕組みになっています。

②日本語で利用できる!

　生成AIは今まさに世に出始めたサービスです。開発環境が英語であることも多く、英語でないと利用しづらいサービスも多々あります。

　Fireflyのプロンプト（下のPoint参照）の入力は、なんと100以上の言語に対応しており、世界中の様々な人たちの言語で利用することができます。もちろん日本語にも対応していますので、日本で生活している人たちにはとてもハードルが低く使える生成AIサービスとなります。これは大きな利点と言えるでしょう。

　また、操作画面も20か国語以上に対応しており、より多くの人が快適にアプリを使えるように工夫がされています。

> **Point**
>
> 「**プロンプト（Prompt）**」とは、生成したい画像の内容や構図、雰囲気などを指示するためのテキストのことです。このプロンプトを与えることで、AIがその指示に基づいて画像を生成します。

③いつも利用しているアプリケーションで使える!

　Fireflyの生成AI機能は、インターネットから利用できるWebアプリだけでなく、デザイナー・クリエイターがいつも利用している「**Photoshop**」「**Illustrator**」といったアプリケーションで使えるようになってきています。

　生成AIを利用するために、別のアプリケーションを立ち上げるといった作業はとても面倒です。いつも利用しているアプリケーションで、操作画面そのままに、サッと使えて、生成したものをすぐに調整もできる。これは他の生成AIにはできない大きなメリットとなります。

▼アドビの生成AIと機能対応表

	Firefly	Photoshop	Illustrator	Adobe Express	Adobe Stock
テキストから画像生成	○	Photoshop (Beta)※に搭載		○	○
生成塗りつぶし	○	○		○	
生成拡張		○			○
テキスト効果				○	
テキストからテンプレート生成（ベータ版）				○	
テキストからベクター生成（ベータ版）			○		
生成再配色			○		

※Photoshop（Beta）… Photoshopの開発中のサンプルのこと。ベータ版。なお、ベータ版で作成したコンテンツは商用利用ができないので注意が必要です。

生成クレジットについて

　Fireflyは Creative Cloud コンプリートプランや一部の単体プランに入っていれば追加料金なく使えます。しかし、Fireflyの機能を使うたび、**「生成クレジット」**が消費されます。生成クレジットがあるだけ利用できる仕組みなのです。

　保有している生成クレジットの数は契約プランによって異なり、毎月リセットされます。以下にプランとクレジット数の一覧をまとめておきますので確認しておくといいでしょう。

▼クレジットの保有数 /月：2024年5月現在

契約プラン	クレジット数
コンプリートプラン（全ソフト使用可能なプラン）	1,000
単体プラン（Illustrator、InDesign、Photoshop、Premiere Pro、After Effects、Audition、Animate、Dreamweaver）	500
単体プラン（InCopy、Substance 3D Collection、Acrobat Pro）	25
Adobe Stock	500
Adobe Express プレミアム	250
Adobe Firefly プレミアム	100
無料ユーザー	25

▼クレジットの消費数：2024年5月現在

製品名	機能	クレジット消費数
Adobe Express	ジェネレーティブフィル	1
	テキストを画像に	1
	テキストをテンプレートに（Beta※）	期間限定で0クレジット
	テキスト効果	期間限定で0クレジット
Adobe Firefly Webアプリ	テキストから画像	1
	ジェネレーティブフィル	1
	生成再配色	1
	テキスト効果	期間限定で0クレジット
Adobe Illustrator	テキストをベクターグラフィックに (Beta※)	1
	生成再配色	1
Adobe Photoshop	ジェネレーティブフィル	1
	生成拡張	1
Adobe Stock	テキストを画像に	1
	画像を展開	1

※最新情報は「https://www.adobe.com/jp/products/firefly/plans.html」を参照
※Fireflyに関する質問は「https://helpx.adobe.com/jp/firefly/faq.html#using-firefly」を参照

　クレジットの残数はFireflyのWebアプリの右上のアイコンをクリックして表示する画面から確認できます。

67/1000 クレジット利用可能

▲ 1-2 各アプリのAI機能について

各アプリのAI機能

AI機能はアドビ社の様々なアプリケーションに搭載されており、また、アプリケーションによってできることがそれぞれ異なります。

本書では主にデザイン制作において利用シーンが多い、「**Photoshop**」「**Illustrator**」「**Firefly**」の3つのアプリについて詳しく解説します。

- **Photoshop**… 生成拡張（P.032,040他）、生成塗りつぶし（P.054,089他）、ニューラルフィルター（P.134,148他）
- **Illustrator**… テキストからベクター生成（P.193,206他）、生成再配色（P.184）、モックアップ（P.218）、Retype（P.223）
- **Firefly**… テキストから画像生成（P.236,242他）、生成塗りつぶし（P.228）

> **Point**
>
> アドビ社のAIを利用した機能は、「Firefly」の登場以前より各アプリケーションに搭載されています。例えば、PhotoshopのニューラルフィルターはFirefly以前より搭載されているAIを駆使した機能ですが、今も実用的に使えます。本書では今使えるAI機能について紹介し、Firefly以外のAIの機能についても紹介していきます。

Photoshopの AI機能

足りない領域を拡張できる「生成拡張」

画像の足りない領域を拡張するように生成することができます。縦長の画像だけど、横長のデザインに利用できないかといった悩みに対応できます。

縦長の画像

横の画像を自然に拡張した

後から追加・削除できる「生成塗りつぶし」

選択範囲に新たな要素を追加したり、今ある要素を削除したりすることができます。撮影で入れ忘れてしまったものを後から追加したり、写真に写ってしまった不要なものを消したりすることができます。

追加

削除

難しい加工をAIにやってもらえる「ニューラルフィルター」

写真の加工を自動で行えます。ベータ機能を含め12種類のフィルターがあります。難しい写真加工を手間をかけずに行うことができます。

モノクロの画像をAIの力を使うことで手間をかけずにカラーにできる

Illustratorの AI 機能

テキストからベクター生成

プロンプトの指示を行うことで、ベクターデータのイラストを生成できます。ベクターデータなので、パスをつかんでそのまま調整することも可能です。

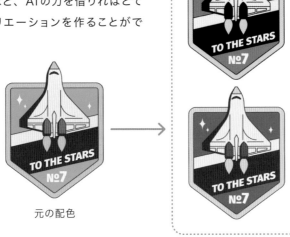

パスを掴んで調整可能

ベクターデータのイラスト（イチゴとネコ）

生成再配色

プロンプトの指示を行うことで、多数の配色が作れます。デザインのカラーバリエーションが必要になった時など、AIの力を借りればとても簡単にカラーバリエーションを作ることができます。

元の配色

「生成再配色」を行ったカラーバリエーション

モックアップ

画像の形状に合わせてベクターアートを自動で変形してくれます。作ったデザインを画像にあてはめてモックアップを作ればクライアントは完成形を想像しやすくなります。デザインの訴求力が上がること間違いなしです。

元のデザイン

画像の形状に合わせて自動で変形している

デザインをTシャツに当てはめた

Retype

　アウトライン化された文字や、画像内の文字が、何のフォントか識別してくれます。編集可能なテキストデータに戻すこともできますので、以前のように「アウトライン化してしまったから、もう文字の修正はできない…」といった悩みに直面した時に活躍できます。

アウトライン済み

文字の修正ができた

アウトライン化した文字をAIが認識し、修正可能なテキストデータに戻すことができます。

Firefly（Webアプリ）のAI機能

テキストから画像生成

　プロンプトの指示に従って、写真やアートの画像を生成してくれます。

プロンプトの指示から
写真やアートを生成

生成塗りつぶし

　ブラシで選択範囲を作成し、新たな要素を追加したり削除したりすることができます（Photoshopと同じ機能）。生成したイラストに要素を足したいといった時に便利に使えます。右画像は、左下に魚のイラストを追加しています。

⚠ 1-3 生成AIのメリット・デメリット

生成AIを使うメリット

生成AIをデザイン制作のプロセスに取り入れることは、多くの利点があります。上手に活用することで、制作の効率が格段に向上し、デザインの品質が高められます。さらに、使い方によっては自分では思いつかなかった斬新なアイデアに出会うチャンスも広がっていくでしょう。ここでは生成AIのメリットを考えてみます。

撮影や素材探しの手間とコストを削減できる

通常、デザインで使用するために写真撮影を行うには、人手、費用、そして多くの時間が必要になります。これらを予算やスケジュールの中に組み込み、まとめていくのは本当に大変な作業です。

また、ストックフォトなどの素材サイトから画像を購入して使用するにしても、費用がかかるだけでなく、その画像が他社のデザインにも使用されているそういった懸念もあります。結果としてどこかで見たことがあるデザインになってしまう可能性もあるのです。

画像の生成AIを用いることで、これらの課題を解決し、より効率的で低コストなデザイン制作を実現することができます。デザイン制作において、自分で素材画像を生成することは、撮影や素材探しの手間とコストを大幅に削減することにつながるのです。

> **Point**
>
> 実際の人物やモノを撮影した画像には、特別な魅力があります。すべての素材を生成AIにすべきといっている訳ではありません。
> 撮影するか、素材画像を使うか、イラストを描くか、生成AIを使うか、それぞれのメリット・デメリットを考慮した上で適切に判断しましょう。

画像加工の効率と品質の向上が期待できる

AIを利用することで、これまでは時間とスキルが必要だった難しい画像加工を、一部自動化することができます。例えば下記のようなケースです。

> **切り抜いた画像の接地面を、背景になじませる合成がしたい**

このような場合、レタッチの高度な知識と合成のスキルが必要で、どんなに優れたスキルを持つ人でもある程度時間がかかってしまう作業でした。

　しかし、近年搭載されたPhotoshopの生成AIを活用することで、わずか数工程で加工ができるようになりました。しかもデザイナーのスキルや経験に依存しない工程になります。時間も大幅に節約することができつつ、一定の品質を保証できるのです[※]。

①人物部分の画像を切り抜く

②背景となる画像を用意する

③背景の上に切り抜いた人物を配置する

④境目を自然に合成する

生成AIで自然に合成

Point

AIによって生成されたデザインは必ずしも完璧ではないため、品質を確認し、必要に応じて手作業で調整することが重要です。つまり生成AIの時代になっても、デザインを見る目と調整のスキルは必要になります。AIの出力を盲信せず、目的に合致しているかどうかを必ず検討しましょう。

※この合成の詳しい工程の解説はP.120を参照ください。

アイデアの助けになる

　AIが生成する画像や配色の提案は、デザイナーのアイデアを助けてくれることがあります。上手に活用することで、デザイナーも新しい視点やアプローチを得ることができます。よりクリエイティブな作品を生み出す可能性が高まり、アイデアも広がっていきます。例えば下記のようなケースです。

> **作ったデザインのカラーバリエーションをたくさん検証したい**

　このような場合、今まではデザイナー自身の持っている色の知識やセンスの中だけで配色を考えていました。しかし、Illustratorの生成再配色を活用することで、一個人では思いつかないような配色をAIが生成してくれるのです。短い時間で効率よく、大量に配色を検証することができます[※]。

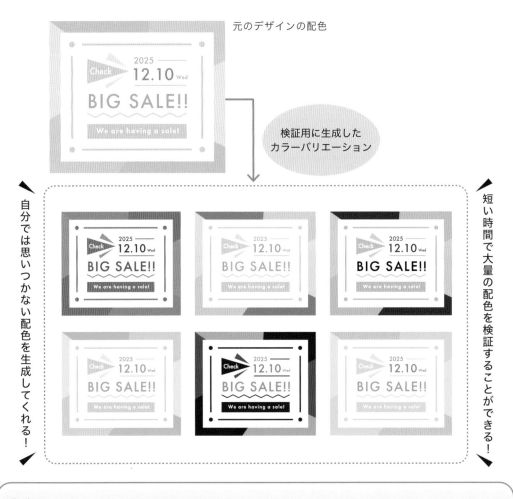

元のデザインの配色

検証用に生成した
カラーバリエーション

自分では思いつかない配色を生成してくれる！

短い時間で大量の配色を検証することができる！

Point

AIを利用することで、デザイナーは短い時間で多くのアイデアを試すことができます。
ただし、AIの出力を盲信せず、品質を確認し、必要に応じて最後は手作業で調整することが重要です。

※このカラーバリエーションの詳しい工程の解説はP.184を参照ください。

生成AIのデメリット

毎回生成物が異なる

　AIに同じ指示を与えても、毎回同じ結果を生成することはできません。

　前回は成功したものが、今回は思い通りに生成されないこともあります。気に入った結果は必ず保存しておきましょう。

スキルが学べない時がある

　初めからAIに頼りすぎると、「**自身のスキルが成長しない**」という問題があります。

　ブラッシュアップや最終的なクリエイティブの判断など、デザインの良し悪しは個人の能力に左右されます。AIに頼りすぎず、自身のスキルを磨くことが大事です。

たくさん作りすぎて選べない時がある

　生成AIを使用すると多くのデザインバリエーションが簡単に作成できますが、選択肢が多すぎると選ぶのが難しくなることがあります。デザイナーは、適切な選択を行うことも重要な役割です。自分の審美眼を養うことが最も大切と言えるでしょう。

すぐに新しい技術に変わってしまう

　生成AIは現在も進化を続けており、使用するPhotoshop、Illustrator、Fireflyのバージョンによって操作方法やアプローチが大きく変わることがあります。そのため、最新のトレンドやアップデートに常に注意を払うことが重要です。

誤って著作権侵害をしてしまうことがある

　生成AIの学習データ自体が著作権を侵害していた場合、意図せずに著作権素材を模倣してしまうことがあります。アドビ社の生成AIは、学習データに権利関係が明確な画像のみを利用しています。ただ、それでも誤って侵害してしまうことがあるかもしれません。このリスクを回避するためには、生成されたコンテンツを慎重に検証することと共に、必要に応じて法的なアドバイスを得ることも重要です。本書では法律の専門家によるCOLUMNもあります。詳しくはP.252-253をご参照ください。

注意すべきこと

　以上のように生成AIについて多くのメリット・デメリットを解説しましたが、**AI機能はあくまでツールとして活用されるべきであり、デザインの方向性やクリエイティブな判断はデザイナー自身が行うべき**です。

　アドビ社のアプリは人間の創造性を手助けする新しい道具として生成AIの機能を追加しています。AIを活用することで助けを借りることはできますが、最終的にデザインが成功するかどうかはいつの時代も人間の手にかかっています。AIに過度に依存せず、これからも人間独自の創造性や判断力を大切にしましょう。

▲ 1-4 生成AIの得意分野・不得意分野

生成AIの得意分野

複雑なビジュアル表現

　自分ではなかなか表現できない難しい表現も、生成AIなら可能です。プロンプトや使い方のコツを知ることで、場合によっては自身のスキル以上のビジュアルを作成することができます。

短時間での作成

　アイデアを素早く視覚化するのに役立ちます。初期のコンセプト段階で多くのバリエーションを短時間で生成することで、デザインのプロセスを加速させることができるでしょう。

Generative AI

大量のバリエーションを生成する

　1つのテーマやスタイルに基づいて、様々な画像のバリエーションを生成することができます。これにより、トンマナ※を揃えた画像を大量に生成することができます。デザイナーはより多くのアイデアの中から素材を選ぶことが可能になります。

スタイルの適応と模倣

　特定のアーティスティックスタイルを参考にしながら、そのスタイルを模倣して新しい画像を生成することができます。これにより、例えば、デザインのブランドアイデンティティを維持しつつ、新しいコンテンツを作成するといったことが容易にできるようになります。

　デザイナーは世界観を壊さず一貫性のあるデザインを作ることが求められます。スタイルの適応と模倣を上手に使えばデザインに活かすことができるでしょう。

元のデザイン。この世界観は崩さず、新しいコンテンツを作るといったオーダーはよくある。

ブランドアイデンティティや世界観を崩さず生成したコンテンツ。

※トンマナ …「トーン＆マナー」の略語で、全体の雰囲気やスタイル、方向性を指す。デザインの一貫性を保つために重要な概念。

生成AIの不得意分野

人の感情の理解と表現

　AIは人間の感情や微妙なニュアンスを完全に理解することが難しく、感情的な深みや繊細な表現が求められるデザインには向いていません。

繊細な感情が表現できない例（Prompt「嬉しいけど恥ずかしい女性の顔」）

プロンプトを入力してFireflyで生成した顔。

実際のモデルで撮影した顔。

独創性とオリジナリティ

　AIは学習したデータに基づいて画像を生成するため、真の意味での独創性を発揮することは難しいでしょう。全く新しいコンセプトや未見のスタイルを生成するのは苦手と言えます。

学習データ。

結果。

曖昧な指示の理解

　曖昧な指示や、抽象的なアイデアを画像に変換することは、AIにとっては困難です。具体的で明確なガイドラインがない場合、期待される結果と異なる出力をすることがあります。

Prompt「いい感じのエモい空と海」
エモいとは何か？生成AIでは抽象的な表現は理解できない。

Prompt「新しい機能を搭載した車」
新しい機能とは？具体的なものがないと表現できない。

倫理的・法的な制約

　AIが生成した画像には著作権やオリジナリティの問題が生じる可能性があり、これらの問題を適切に管理する必要があります。

　著作権や生成AIについて気になる解説については、本書では法律の専門家である弁護士に相談し、「法律の専門家に聞く　生成AIの注意事項」といったCOLUMNを執筆していただいております。詳しくはP.252-253を参照ください。

　このように生成AIを活用する際、得意分野と不得意分野を理解しておくことはとても重要です。適切に理解して利用することで、より効果的にデザイン制作のプロセスに活用することができます。

1-5 生成AIを活用した新しい制作フロー

ワークフロー	使用アプリと生成AIの機能	従来からの変更点

デザインの依頼

↓

ヒアリング

↓

コンセプトの作成

↓

ラフの作成
- Photoshop：生成塗りつぶし
- Firefly：テキストから画像生成

従来の制作フローでは、デザイナーがスケッチや簡単なデザインラフにしてアイデアを形にしていました。
　生成AIを導入することで、アイデアを素早くビジュアル化することができ、多くのバリエーションを作ることも可能です。

↓

デザインカンプの作成
- Photoshop：生成塗りつぶし
- Illustrator：テキストからベクター生成
- Firefly：テキストから画像生成

これまで高度なスキルと多くの時間が必要だった難しいビジュアル表現や素材作りも、生成AIを導入することで、簡単かつ短時間で制作できるようになります。
　テキストからの指示もでき、その場で調整もできます。

↓

フィードバック

↓

修正とブラッシュアップ
- Illustrator：生成再配色

多くの配色パターンを考えなければならない場合、デザイナーの知識やセンスに頼りがちで、調整には時間もかかります。
　生成AIを活用して言葉のイメージから配色を考えると、短時間で多くのバリエーションが作れます。
　また、自分では思いつかないような新しい配色を見つけることができるのも利点です。

↓

納品

Generative AI

画像の拡張・生成（Ps）

Photoshopには、「生成拡張」と「生成塗りつぶし」という2つの
便利な生成機能が搭載されています。
これらの機能を使いこなすと、画像の不足部分を自然に拡張したり、
画像に新しい要素を追加したりすることができます。以前は時間と
スキルが必要だった画像加工が一瞬で完了します。
本章ではこの2つの機能の基本操作と活用方法を学んでいきます。
あなたのデザインワークに取り入れていきましょう！

Photoshop & Illustrator & Firefly
An Introductory Guide to Generative AI Design

背景が広がった！

ロゴを配置する空間ができた！

生成拡張

提供素材

ここに困った！
縦長のデザイン
にしたいと言われたけど
画像が横長で…

生成拡張 を使って画像の背景を広げる方法

「**生成拡張**」は、Photoshopの［切り抜きツール］を使って、カンバスを広げた時にできる余白部分を、画像に合わせて自然に生成してくれる機能です。ここでは横長画像の上部を生成して縦長にし、デザインに活用する方法を紹介します。

画像を拡張する理由

クライアントから画像を提供されたが、「横長の画像」なのにA4サイズのチラシなので「縦長のデザイン」を作ってほしいと言われてしまうことはよくあります。

ここでは「縦画像で全面に配置したデザインが作りたい」と考え、生成拡張の機能を使って画像を縦に広げようと思います。

01 | 画像を準備する

まずは拡張したい画像をPhotoshopで開きます 01 。

画像を開いた

02 | 画像を拡張する

ツールパネルの［切り抜きツール］ を選択して、画像の上のポイントをドラッグで上に広げていきます 02 。

ポイントをドラッグして画像を広げる

03 | 生成拡張を行う

上のオプションバーから塗りの種類を選べるので、[塗り：生成拡張]を選択します 03 。

近年のPhotoshopに標準搭載された「コンテキストタスクバー」に、プロンプトを入力する画面が表示されます 04 （コンテキストタスクバーが何かわからない方は、右ページ下段のCOLUMNを参照してください）。
具体的な指示がある場合はコンテキストタスクバーに指示を入力することになりますが、このまま自然に広げてほしい時は何も入力せずに[生成]ボタンをクリックします。今回は何も記載せずに[生成]ボタンをクリックします。

しばらく待つと、拡張した余白部分が生成されます。たったこれだけで、とても自然な背景画像が生成できます 05 。

> **Point**
>
> 現時点では、Photoshopで生成AI機能を使用するには、インターネットに接続する必要があります。必ずインターネットに繋がった状態で使用してください。

04 | バリエーションを選ぶ

表示されているプロパティパネルの[バリエーション]を確認すると、生成した画像が3つ作成されているのがわかります。3つの中から好きなバリエーションを選ぶことができます 06 。

もし、欲しい画像がなかった時は、もう一度[生成]ボタンをクリックすると、新たに3パターンを追加で生成してくれます。
ここでは、上に文字を配置した時に文字が読みやすい背景にしたかったので、07 の画像を選びました。

［塗り：生成拡張］を選択

［生成］をクリック

しばらく待つと背景画像が生成された

バリエーション　　［生成］ボタン

3つのバリエーションがある

Point

生成AIは毎回出力が異なります。もう一度同じものを作ることができません。生成画像はバリエーションの右下のゴミ箱マークをクリックすることで消せますが、気に入った生成画像は削除しないように気を付けましょう。

ゴミ箱マーク

COLUMN | コラム

コンテキストタスクバーとは

コンテキストタスクバーは2023年9月にPhotoshopに追加された機能で、今行っている作業に最も関連性が高い機能を常に表示してくれるメニューです。

例えば、選択範囲を取ろうとすると、「被写体を選択」「背景を削除」などといった、次に使う可能性が高い機能を表示してくれます。

本書では、コンテキストタスクバーを表示している前提で解説していきます。

なお、便利なコンテキストタスクバーですが、画面を専有してしまうこともあるため、非表示にしたい時もあります。コンテキストタスクバーの表示・非表示は、上のメニューの［ウィンドウ］→［コンテキストタスクバー］で切り替えることができます。

コンテキストタスクバー

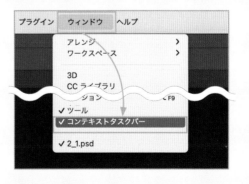

05 | 背景を広げた画像使って デザインを作成する

拡張した画像を使いアウトドアイベントの、縦長A4サイズのチラシを作成します。

本作例では、元の画像のままでは表現することができなかった、画像の上の空間にタイトルを配置するデザインを作りました 。

Point

生成拡張した画像は、別レイヤーとして生成されます。元の画像を残しておくことができますので、いつでも元の状態に戻すことができます。

生成拡張のレイヤーを非表示にすれば元の画像が表示される

COLUMN | コラム

背景を広げた画像をデザインに使う時に気を付けること

　背景を広げた画像はデザインを作成する上でとても重宝しますが、**虚偽広告にならないように気を付けなければいけません。**例えば、旅行会社の依頼で列車旅のツアーのポスターを作ると仮定します。

　Aの元画像を、Bに拡張して、Cのポスターのデザインを作成したとします。

　この場合、「橋」のように場所が定まっている構造物なのに、実際とは異なる景色の広告になってしまいます。見る人に誤解を与える可能性があるのです。

　拡張した画像をデザインに使う際は、使用しても問題が出ないデザインか検討したり、画像がイメージであることを記載したりして、十分に気を付けてから使用しましょう。

Aの元画像。

生成拡張

実際とは異なる景色の
広告になってしまった

Bの画像。

Cのデザイン。

生成拡張の様々な使い方とアイデア

▶ ビーチの画像を上に拡張

生成拡張

ビーチも
縦長に拡張！

▶ ビルの画像を横に拡張

縦長の風景も
横長に拡張！

生成拡張

▶ 原っぱの画像を四方に拡張

四方にも
拡張できる！

生成拡張

▶ イラスト画像を四方に拡張

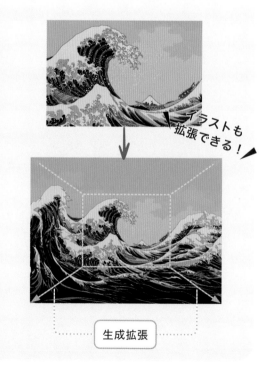

イラストも
拡張できる！

生成拡張

デザインのアレンジ見本

▶ 秋の写真

季節の写真でも
使える！

▶ 冬の写真

季節の写真でも
使える！

▶ 夕暮れの写真

美しい空のグラデーションも
作れる！

▶ イラスト画像

イラストの拡張も
できる！

Ps 2-2 人物の見切れを生成しよう

頭の見切れを生成できた！

枠から頭が出ているのがかわいい！

最大
70%
OFF

春のセール開催中！

SPRING

BRAND NAME

生成拡張

📷 提供素材

ここに困った！
頭と体が見切れている
なんとか理想とするデザインに
もっていきたい…

生成拡張 を使って人物画像の見切れを生成する方法

「**生成拡張**」は、画像から見切れてしまった人物のパーツも生成することができます。

　ここでは、頭と体が途中で見切れている写真使って、見切れたパーツを生成する方法と、その画像をデザインに活用する方法を紹介します。

Check

画像を拡張する理由

　クライアントからデザインに使う女性の画像の提供を受け、アパレルブランドの春のセールをお知らせするWebバナーを作成することになりました。

　女性の画像を切り抜いて中央に配置するデザインにしたいのですが、頭と体が見切れている画像のため、そのまま使用すると不自然な切り抜きになってしまいます。そこで、「生成拡張」の機能を使って人物の見切れを生成したいと思います。

01 | 画像を準備する

まずは拡張したい画像をPhotoshopで開きます 01 。

画像を開いた

02 | 画像を拡張する

切り抜きツール 🔲 を選択して、上下のポイントをドラッグで広げていきます 02 。

Point

ドラッグする際、 option （ Alt ）キーを押しながら上下どちらかのポイントをドラッグすると、反対側も同時に引き延ばすことができます。

上下のポイントをドラッグして広げる

03 │ 生成拡張を行う

上のオプションバーから塗りの種類を［生成拡張］にします 。

コンテキストタスクバーから、プロンプトは何も記載せずに［生成］のボタンをクリックします 。

しばらく待つと拡張した部分が生成され、見切れていた人物の頭と体の一部が生成されます。とても自然に生成できました 05。

［生成］をクリック

頭の先まで生成されている

ひじの先まで生成されている

> **Point**
>
> 人物画像を拡張する時、AIがセクシャルな表現と判断し、拡張できずにエラーが表示されるケースがあります（実際はセクシャルな表現ではなくても起こることがある）。その際はコンテキストタスクバー内の「生成したいものを入力してください。（任意）」に「頭、背景」など、ざっくりとしたワードのプロンプトを入力して生成してみましょう。エラーが出にくくなります。
>
> また、拡張する範囲が広すぎる時もエラーが出やすいです。その場合は小さい範囲に分割して、2〜3回、生成拡張を繰り返しましょう。
>
> ⚠ 結果において問題が発生しました。アドビのガイドラインを読み、再試行してください。エラーであると思われる場合は、フィードバックをお送りください。　✕
>
> フィードバックの提供　　ガイドラインを表示

04 │ バリエーションを選ぶ

プロパティパネルに3つのバリエーションが表示されるので、好きなバリエーションを選びましょう 06。

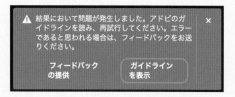

自然　　　　　やや不自然

ここでは、一番自然に生成できていた真ん中の画像を選びました 。

05 | 人物の見切れを生成した画像を使ってデザインを作成する

この生成拡張した女性の画像を使って、アパレルブランドの春のセールをお知らせする正方形のWebバナーを作成します。

本作例では、女性の画像を切り抜いて中央に配置し、頭やひじ部分を枠から飛び出すように配置させた印象深いデザインを作りました 。

元画像では難しかったデザインですが、「生成拡張」を使うことで自然に表現することができました。

女性の画像を切り抜いて配置している

> **Point**
>
> 切り抜きを行う場合、1つのレイヤーに結合しますが、後から生成をやり直したいというケースもあるでしょう。元画像と生成レイヤーを複製した状態で、1枚の画像に結合するといいでしょう。
>
>
>
> 元画層と生成拡張の画像を複製して結合した

人物画像を生成拡張する時に気を付けること

　生成拡張は人物の見切れを簡単に生成できますが、苦手な表現もあります。

　それは「顔」と「手」です。

　今後のバージョンアップで改善される可能性もありますが、現時点ではまだまだ苦手な領域なので生成する時は注意が必要です。

　少し見切れている程度なら対応できるのですが、人物の中の30%以上見切れている場合は注意しましょう。

生成拡張する

生成する面積が広すぎると違和感のある顔になってしまうことがある。

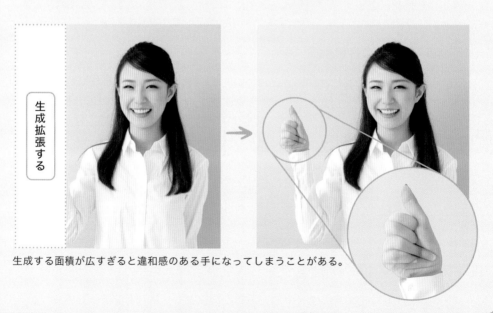

生成拡張する

生成する面積が広すぎると違和感のある手になってしまうことがある。

生成拡張の様々な使い方とアイデア

▶ 男性の場合

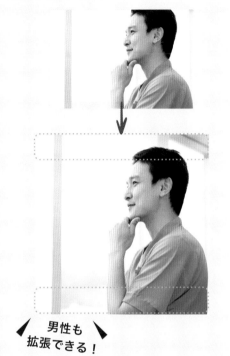

◀ 男性も ▶
拡張できる！

▶ 複数人の場合

◀ 複数人も ▶
拡張できる！

▶ イラスト画像の場合

◀ イラストも ▶
拡張できる！

▶ 動物の場合

◀ 動物も ▶
拡張できる！

1 アドビの生成AIとは　2 画像の拡張・生成 (Ps)　3 レタッチ・合成 (Ps)　4 文字の加工 (Ps)　5 ベクターデータの生成AI (Ai)　6 最新の生成AI (Firefly)

デザインのアレンジ見本

▶ 夏のセール

帽子も
拡張できる！

▶ 冬のセール

イラストも
拡張できる！

▶ 秋のセール①

▶ 秋のセール②

生成拡張なら同じ型の
デザインが作りやすい！

Ps 2-3 画像に新たな要素を生成しよう

コーヒーに湯気が足せた！

コーヒー豆を足せた！

生成
塗りつぶし

提供素材

ここに困った！

何か物足りない

湯気やコーヒー豆があれば
もっとよくなるのではないか

生成塗りつぶし を使って画像の一部を生成する方法

「**生成塗りつぶし**」は、画像の上から新たな要素を自然に追加できる機能です。

　ここでは、コーヒーの画像に湯気とコーヒー豆を追加し、その画像をデザインに活用する方法を紹介します。

画像の一部を生成する理由

おすすめのカフェを紹介するブログ記事のアイキャッチ画像を作成します。デザインではコーヒーの画像を使用するのですが、元画像のままでは何か物足りない気がします。そこで「コーヒーの湯気」と、「コーヒー豆」を合成してみましょう。

生成塗りつぶしの機能を使って、2つの素材を追加したいと思います。

01 | 画像を準備する

まずは加工したい画像をPhotoshopで開きます 01。

画像を開いた

選択範囲を作成

02 | 選択範囲を作成する

コーヒーに湯気を追加します。ツールパネルの[長方形選択ツール] を選択して、湯気を追加したいエリアに選択範囲を作成します 02。

Point

選択範囲は追加したいエリアよりも少し大きめにしておきましょう。ギリギリのサイズで生成するよりも自然に生成することができます。

03 | プロンプトに入力し、湯気を生成する

コンテキストタスクバーの［生成塗りつぶし］のボタンをクリックし、プロンプト入力欄に「コーヒー　湯気」と入力して［生成］ボタンをクリックします。

クリック

「コーヒー　湯気」と入力

［生成］をクリック

たったこれだけで、コーヒーに自然な湯気を合成することができました。

湯気が生成された

04 | バリエーションを選択する

プロパティパネルに3つのバリエーションが表示されるので、好きなバリエーションを選びましょう。

なお、欲しい画像がなかったら、もう一度［生成］ボタンをクリックすれば新たなバリエーションを追加することができます。

欲しい画像がなかったら、もう一度［生成］ボタンをクリック

3つのバリエーションから使用したい画像を選べる

05 | コーヒー豆を生成する

次はコーヒー豆を追加します。ツールパネルから [なげなわツール] 🔘 を選択して、画像の右下と左上に選択範囲を作成します  。

手順03と同様の方法で、コンテキストタスクバーのプロンプト入力欄に「コーヒー豆」と入力して [生成] ボタンをクリックします 08 。

09 の画像のようにコーヒー豆を合成することができました。しかも、元の画像に合わせて左上の豆の方が遠くに見えるように、遠近感を表現してくれています。

先ほどと同様、プロパティパネルに3つのバリエーションが表示されるので、好きなバリエーションを選びましょう 10 。

> **Point**
>
> 生成した「湯気」と「コーヒー豆」の2つの要素は、元画像の上にそれぞれ別レイヤーとして生成されます。

選択範囲を作成

「コーヒー豆」と入力 ｜ [生成] をクリック

右下のコーヒー豆に比べて、左上のコーヒー豆にはぼけがかかり、遠近感が演出できている

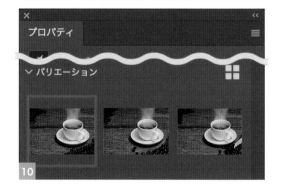

06 | 生成した画像使って デザインを作成する

生成した画像を使って、おすすめのカフェを紹介するブログ記事のアイキャッチ画像を作成します。
本作例では、コーヒーの左側にタイトルを配置するデザインを作りました 。

元画像のままでは、コーヒーの温かさや雰囲気をうまく表現することができず、少し物足りないデザインになっていたのですが、「湯気」と「コーヒー豆」を追加したことで物足りなさが改善され、臨場感があるデザインにまとめることができました。

COLUMN | コラム

新たな要素を生成する時に気を付けること

画像に新たな要素を生成すると、追加したい要素以外の部分も変わってしまうケースがあります。

今回はコーヒーに湯気を追加したのですが、選択範囲にコーヒーの表面やカップの形も含まれているので、その部分も一緒に生成されます。つまり、カップの形も変わってしまうことがあるのです。

カップの形を変えてはいけない商品画像などに使用する時は注意が必要です。

カップのフチをよく見るとラインが細く変更されているのがわかる。

生成塗りつぶしの様々な使い方とアイデア

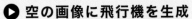

▶ 空の画像に飛行機を生成

飛行機の
デザインに！

▶ ジュースにオレンジを生成

オレンジを
追加！

▶ 水たまりを生成

水の反射まで
作れる

▶ イラストにウサギを生成

「うさぎ」で
生成

※使用する写真やイラストには著作権がある場合があります。追加しても平気であるか著作権者に確認の上、ご活用ください。

デザインのアレンジ見本

▶ ナポリタンに目玉焼き

「目玉焼き」を生成

何かが足りない
時に大活躍！

▶ アイスコーヒーを注ぐ

「注ぐ」を生成

躍動感が出せる！

▶ ケーキにフォーク

「フォーク」を生成

撮影し忘れた失敗を
取り戻せる！

▶ 水彩の背景イラストにコーヒー

「コーヒー」を生成

背景にマッチした
イラストが作れる！

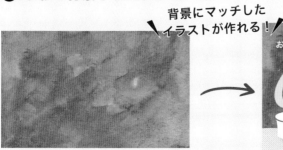

広告のチラシまで作れた！

100% ORGANIC BERRIES
VERY FRESH
STRAW BERRY
ESTD 1987
VERY JUICY
SOUTH COAST FARMS

100%国産の無添加ジャム

Strawberry Jam
生成ストロベリージャム

100%国産・無添加のジャム。イチゴの粒がそのままの形で、ゴロゴロとたっぷり入っています。低糖度で仕上げているので、甘さはくどくなく飽きのこない味が魅力。

内容量 360g / 販売価格 1,200 円

〒150-0000 栃木県苺市苺の村1-5-00　📞 000-000-0000

イチゴが作れた！

生成塗りつぶし

Prompt　イチゴ　多数　　✦ 生成

ここに困った！
デザインに装飾を施したいけど
素材も何もない！

生成
塗りつぶし を使って、ゼロから画像を生成する方法

「生成塗りつぶし」は、何もないところから画像を生成することができます。ここでは、イチゴの画像を生成して、その画像をデザインに活用する方法を紹介します。

画像をゼロから生成する理由

　クライアントから商品画像の素材が提供されていても、イメージするデザインを作るにあたり、必要な「装飾に使う画像がない」ことはままあります。クライアントに催促して画像をいただければいいのですが、ない場合は自分で用意しないといけません。

　ここではイチゴジャムの広告チラシを作成するため、イチゴがたくさんあるイメージ画像を背景として使いたいのですが、予算も時間もないとのことで、自分で生成することにしました。

01 ｜ 新規ファイルを作成する

まずは Photoshop で新規ファイルを作成します。ここではサイズを、幅300mm×高さ300mm、解像度360pixel/inch の正方形にしています **01**。

正方形のファイルを
新規作成

02 ｜ 選択範囲を作成する

⌘（ctrl）+A で画面全体に選択範囲を作成します **02**。

画面全体を選択

03 | イチゴの画像を生成する

選択範囲を作成したら、コンテキストタスクバーの［生成塗りつぶし］のボタンをクリックし 03、プロンプト入力欄に「イチゴ　多数」と入力して［生成］ボタンをクリックします 04。

たったこれだけで、何もないところからイチゴの画像を生成することができました 05。

プロパティパネルに3つのバリエーションが表示されるので、好きなバリエーションを選びましょう 06。

クリック

「イチゴ　多数」と入力　　[生成]をクリック

> **Point**
>
> ここでイメージしていた画像は左下のように画面全体をイチゴで埋め尽くした画像ですが、この他にも下のように机の上に置いてある画像が生成されたりします。
> イメージ通りの画像が生成されるまで、生成を繰り返すのがコツです。
>
>

3つのバリエーション

イメージ通りの画像がない場合は生成を繰り返しましょう

今回は、画面全体をイチゴで埋め尽くした画像の中から、新鮮さが感じられ、形もきれいな画像を選びました 07。

> **Point**
>
> イメージ通りのきれいな画像を生成するために、ここでは生成を10回ほど繰り返しています。

04│生成した画像を使って デザインを作成する

この生成した画像を使って、イチゴジャムを宣伝するためのA4サイズのチラシを作成します。本作例では、メインロゴの下に背景のイメージとして、生成した画像を配置しました08。

本来であればカメラマンに撮影してもらったり、素材画像を購入したりする必要がありますが、生成塗りつぶしを使うことで予算をかけずに自分で画像を用意することができました。

> **Point**
>
> この生成は執筆時のPhotoshopのバージョン（25.7.0）で行っています。生成AIは常に進化しており、今後のアップデートによっては同じ手順やプロンプトでも同様の結果を生成できない場合があります。

背景に生成した画像を配置

COLUMN │ コラム

プロンプトの応用例

　本節と同様の方法を使いプロンプトの内容を変えることで、様々なものに応用することができます。ここでは「トマト」の例を紹介します。

Prompt
「トマト　多数」

トマトが多数生成された

　プロンプトに「1つ」と追加することで単体の画像を生成することもできます。色々と試してみましょう。

Prompt
「イチゴ　1つ」

イチゴが1つ生成された

ゼロから画像を生成する様々なプロンプト例

▶「白いお皿の上のいちご　1つ」

▶「籠に入ったイチゴ　多数」

籠に入った
イチゴ

▶「キャンディー　多数」

▶「薔薇の花　多数　青」

COLUMN | コラム

ゼロから画像を生成する時に気を付けること

　ゼロから画像を生成する場合、満足のいく結果にたどりつくまで時間がかかることがあります。

　今回の例で言うと、イチゴの形が崩れていたり、色が新鮮に見えないといった画像が生成されるケースがあり、生成を10回程繰り返しました。

　思い通りの画像が生成できるまで生成を繰り返すのもいいのですが、ある程度近いイメージができていたら自分で色味や形を補正するのがおすすめです。

　いつも使用しているPhotoshopで生成できるのがアドビの生成AIの強みです。臨機応変に作業を進めていきましょう。

デザインのアレンジ見本

1つのテーマのデザインを
複数案作る時に大活躍！

▶ オレンジジャム

▶ ブルーベリージャム

▶ パイナップルジャム

▶ キウイジャム

Ps 2-5 テクスチャー素材を生成しよう

和のデザインがブラッシュアップした！

和のテクスチャーができた！

生成
塗りつぶし

Prompt 紙　テクスチャー　白　　生成

元のデザイン

ここに困った！
紙の質感を足したい
和のデザインに使える
テクスチャーがあれば…

HAPPY NEW YEAR

昨年は大変お世話になりました
本年もどうぞ宜しくお願いいたします！

生成 塗りつぶし を使って、テクスチャー素材を生成する方法

「**生成塗りつぶし**」は、様々なテクスチャーの画像を生成することができます。ここでは、紙のテクスチャー画像を生成して、それをデザインに活用する方法を紹介します。

Check

テクスチャー画像を生成する理由

　和のデザインを作ることはよくあります。レイアウトまでできたけど、もっと本物の年賀状に見えるようにデザインに**紙の質感をプラスしたい**と思うこともあるでしょう。
　ここでは、SNSに投稿するデジタル年賀状の画像を作成します。自分で紙のテクスチャー画像を生成して、さらに和のデザインをブラッシュアップしていきます。

01 │ 新規ファイルを作成する

まずはPhotoshopで新規ファイルを作成します。ここではサイズを、幅2000px × 高さ2500px、解像度：72pixel/inchにしています。元のデザインと同じ大きさにしておくといいでしょう 01 。

02 │ 選択範囲を作成する

⌘（ctrl）+Aで画面全体に選択範囲を作成します 02 。

選択範囲を作成

03 | 紙のテクスチャー画像を 生成する

クリック

選択範囲を作成したら、コンテキストタスク バーの［生成塗りつぶし］のボタンをクリック し 03、プロンプト入力欄に「紙　テクスチャー　 白」と入力して［生成］ボタンをクリックしま す 04。

「紙　テクスチャー　白」　　［生成］をクリック

> **Point**
>
> 「白」を指定しないと、カラフルな紙が生成 されることがあります。

これだけで、何もないところから紙のテクス チャー画像を生成することができました 05。

プロパティパネルに3つのバリエーションが表 示されるので、好きなバリエーションを選びま しょう 06。

凹凸感がある画像が 生成された

> **Point**
>
> きれいな画像を生成するために、今回は生 成を5回ほど繰り返しています。
> 欲しい画像がなかったら、［生成］ボタンを クリックして新たなバリエーションを追加 し確認していきましょう。イメージするテ クスチャーまで自分で調整していけるのが 生成AIでテクスチャーを作るメリットです。

今回は、紙の凹凸が自然で、全体の色も均一な 画像を選びました 07。

> **Point**
>
> テクスチャーのサイズが足りない時は、［生 成拡張］で広げることもできます（P.032 参照）。

04 | 紙のテクスチャーを
なじませる方法

生成した紙のテクスチャーを、元のフラットな
デザイン 08 になじませる方法を紹介します。
元画像の「背景ベタ塗り」レイヤーと、「デザイ
ン」レイヤーの間に、今回生成した「紙のテク
スチャー」をレイヤーとして配置します 09 10。
デザインと紙のテクスチャーのレイヤーの描画
モードを ［乗算］に変更し、デザイン部分に質
感を入れます 11 12。
最後に、「デザイン」レイヤーの右側をダブルク
リックして、レイヤースタイルを開きます 13。

08 元のデザイン

レイヤーの間に生成し
た「紙のテクスチャー」
を配置

デザインの背景に紙の
テクスチャーが入った

乗算

デザイン部分にも
紙の質感が入った

ダブルクリック

レイヤースタイルで ［レイヤー効果］を選択し
ブレンド条件の「下になっているレイヤー」から、
スライダーの右の白いポイントを option （ alt ）
キーを押しながら左にドラッグします 14。
これによりデザインのレイヤーを、紙の質感に
なじませることができます 15。

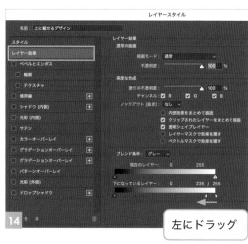

左にドラッグ

> **Point**
>
> ブレンド条件は、右の白いポイントを左に動
> かすと、明るい部分を下のレイヤーになじま
> せることができます。
> 左の黒いポイントを右に動かすと、暗い部分
> を下のレイヤーになじませることができます。
> それぞれのポイントは、option （ alt ）キーを
> 押しながらドラッグすることで中間のポイン
> トを作ることができます。
>
>

紙の質感になじんだ

様々なテクスチャー素材を生成できるプロンプト例

▶ **Prompt**「コンクリート　テクスチャー」

▶ **Prompt**「布　青　テクスチャー」

▶ **Prompt**「水面　テクスチャー」

▶ **Prompt**「板　テクスチャー」

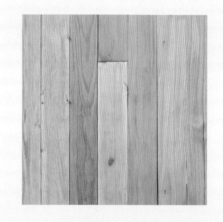

▶ **Prompt**「サテン　赤　テクスチャー」

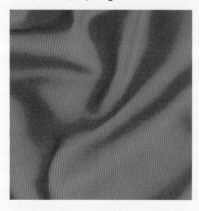

▶ **Prompt**「砂　テクスチャー」

デザインのアレンジ見本

▶ ダンボール　テクスチャー

アナログ感ある
デザインに！

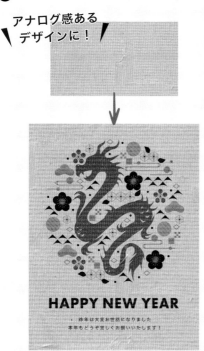

▶ 水面　モノクロ　テクスチャー

透き通るような
デザインが作れる！

▶ 白い布　テクスチャー

布に印刷したような
デザイン！

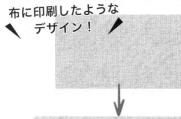

▶ 水彩　テクスチャー

水彩風の
デザイン

Ps 2-6 光の素材を生成しよう

商品とモデルが煌びやかになった！……

美しく艶のある髪へ

BRAND
EUCALYPTUS
CONDITIONER

BRAND
EUCALYPTUS
SHAMPOO

SEISEI

ここに困った！

煌びやかに見せたい

でもデザインにマッチする
光の画像が見つからない！

生成
塗りつぶし

＋

Prompt　レンズフレア　光　カラフル　黒背景　🔆 生成

🖼 元画像

生成塗りつぶし を使って、レンズフレアの素材を生成する方法

「**生成塗りつぶし**」は、様々な光の画像を生成することができます。ここでは、黒背景のレンズフレアの画像を生成して、それをデザインに活用する方法を紹介します。

光の画像を生成する理由

新発売されるシャンプーセットのキービジュアルを作成します。使用するモデルの写真や商品画像はクライアントから提供されているとします。

デザインを煌びやかな印象にするために、モデルの写真にレンズフレアの光を合成しようと思います。

しかしうまくマッチするフレアの画像が見つかりません。そこで合成に使うレンズフレアの画像を自分で生成することにしました。

01 | 新規ファイルを作成し、選択範囲を作成する

まずは新規ファイルを作成します。ここではサイズを、幅1920px × 高さ1080px、解像度：72pixel/inch）にしています。⌘（ctrl）+Ａで画面全体に選択範囲を作成します 01 。

選択範囲を作成

02 | レンズフレアを生成する

コンテキストタスクバーの［生成塗りつぶし］のボタンをクリックし 02 、プロンプト入力欄に「レンズフレア　光　カラフル　黒背景」と入力して［生成］ボタンをクリックします 03 。これだけで、何もないところからレンズフレアの画像を生成することができました 04 。

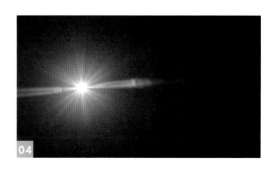

「レンズフレア　光　カラフル　黒背景」

［生成］をクリック

03 | バリエーションを選択する

プロパティパネルに３つのバリエーションが表示されるので、好きなバリエーションを選びましょう 05。

> **Point**
>
> 欲しい画像がなかったら、もう一度［生成］ボタンをクリックして新たなバリエーションを追加しましょう。今回は生成を10回ほど繰り返しています。

欲しい画像が作れるまで生成を行う

バリエーション

生成した画像を実際にモデルの写真に組み合わせて、色味や光の位置など一番相性がよい画像を選びました 06。

デザイン制作での商品の配置場所を考えて光の位置を選んでいる

> **Point**
>
> この生成は執筆時のPhotoshopのバージョン（25.7.0）で行っています。生成AIは常に進化しており、今後のアップデートによっては同じ手順やプロンプトでも同様の結果を生成できない場合があります。

> **Point**
>
> 執筆時のベータ版では「画像生成」という新機能が導入されています。もし、製品版のバージョンで利用可能になっている場合はこの機能をご活用ください。詳しくはP.079を参照ください。

04 | 生成した画像を合成し調整する

生成した画像を使って、シャンプーセットのキービジュアルを作成します。
レンズフレアを合成する時は、人物画像の上にレンズフレアの画像を配置して、レイヤーパネルの描画モードを［スクリーン］に変更します 07。

［スクリーン］に変更

配置

作成したレンズフレアの画像の光が強すぎたので 08 、レイヤーパネルの［不透明度：100%］になっている数値を30〜80%に調整します 09 。この調整作業はモデルの写真や生成された画像を確認しながら行ってください。

> **Point**
>
> 生成AIで作成した画像は毎回出力が異なります。最後はデザイン制作を行う人が確認しつつ調整してください。

不透明度を調整

05 | マスクをする

顔など光が被ってほしくないところは、レイヤーマスクを作成して光の当たりを消しましょう。レイヤーマスクのボタンをクリックすることで、レイヤーマスクサムネールを作れます 10 。ブラシツールを選択し、描画モードの描画色を黒にします。柔らかめのブラシで顔の回りを描画します 11 。描画した部分の光をマスクし、非表示にすることができます 12 。

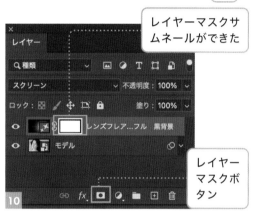

レイヤーマスクサムネールができた

レイヤーマスクボタン

顔の回りを黒で描画

レンズフレアの光を非表示にした

06 | 商品と文字をレイアウトして デザインを完成

本作例では、光を合成した画像の右側に商品画像とキャッチコピー、商品名を配置して完成としました 13 。商品の背景にフレアの光が入り、商品が華やかになりつつ、モデルとうまくマッチするデザインになりました。

商品とコピーを配置して完成

様々な光の素材を生成するプロンプト例

生成塗りつぶしは、レンズフレアの他にも様々な光の画像を生成することができます。

▶ **Prompt**「ぼやけた虹の光　屈折テクスチャー　白い壁」

様々な
光も作れる！

▶ **Prompt**「玉ボケ　カラフル　黒背景」

様々な玉ボケが
作れる！

▶ **Prompt**「虹　光　テクスチャー　黒背景」

虹の光が
作れる！

デザインのアレンジ見本

▶ レンズフレア　カラフル　黒背景（描画モード：スクリーン60%）※

▶ レンズフレア　レインボー　黒背景（描画モード：スクリーン：80%）※

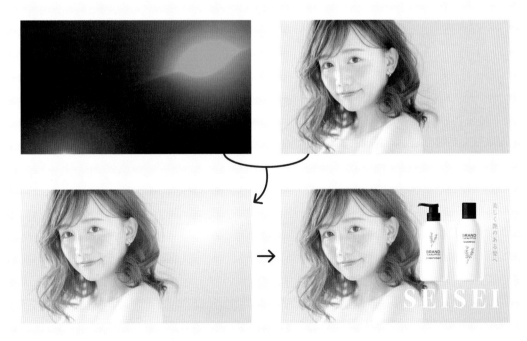

※使う背景画像と光の画像によって、スクリーンにした時の見え方が変わります。画面の表示を確認しながら%値を調整しましょう。

Ps 2-7 植物の影を生成しよう

植物の影がかかりオシャレになった！

生成
塗りつぶし → 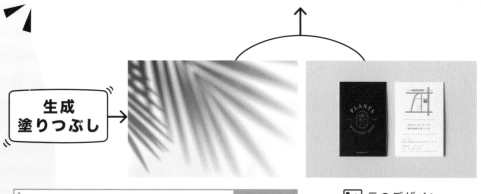 → 元のデザイン

| Prompt | 植物の影　モノクロ　白背景 | 生成 |

ここに困った！
植物の影を重ねて
**オシャレに
見せたい！**

生成塗りつぶし を使って、植物の影の素材を生成する方法

「生成塗りつぶし」は、様々な影の画像を生成することができます。
ここでは、植物のモノクロの影を生成して、それをデザインに活用する方法を紹介します。

影の画像を生成する理由

観葉植物店のショップカードをデザインしました。クライアントにデザインの世界観を伝えるために、モックアップの画像を制作します。

ただ単にカードを配置するだけでなく、そこに植物の影をプラスして、デザインをお洒落に見せる工夫をしようと思います。合成に使う植物の影の画像を、自分で生成することにしました。

01 | 新規ファイルを作成し、選択範囲を作成する

まずは新規ファイルを作成します。ここではサイズを、幅3000px × 高さ2000px、解像度：72pixel/inchにしています。⌘（ctrl）+A で画面全体に選択範囲を作成します 01。

画面全体を選択

クリック

02 | 植物の影の画像を生成する

選択範囲を作成したら、コンテキストタスクバーの［生成塗りつぶし］のボタンをクリックし 02、プロンプト入力欄に「植物の影　モノクロ　白背景」と入力して［生成］ボタンをクリックします 03。

これだけで、何もないところから植物の影の画像を生成することができました 04。

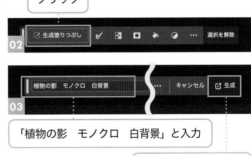

「植物の影　モノクロ　白背景」と入力

［生成］をクリック

植物の影ができた

03 | イメージする影を選ぶ

プロパティパネルに3つのバリエーションが表示されるので、好きなバリエーションを選びましょう。

> **Point**
>
> シンプルな影を選ぶと、後で合成しやすいのでおすすめです。

> **Point**
>
> 欲しい画像がなかったら、もう一度[生成]ボタンをクリックして新たなバリエーションを追加しましょう。今回は生成を10回ほど繰り返しています。

欲しい画像がなければ[生成]ボタンをクリック

バリエーション

今回は、生成した画像を実際にモックアップの画像に組み合わせて、カードのデザインを邪魔しない控えめな影の画像を選びました。

04 | 植物の影を合成する

生成した画像を使って、観葉植物店のショップカードのモックアップを作成します。
生成した植物の影を元のデザイン07に合成する方法を紹介します。
合成したい「デザイン」レイヤーの上に、生成した画像「植物の影」レイヤーを配置します08 09。

05 | 確認しながら調整する

生成した画像次第でもありますが、100%表示のままでは光が強すぎるので、不透明度を30〜80%に調整するといいでしょう。

植物の影のレイヤーの描画モードを［乗算］にして、ここでは不透明度を［50%］にしました 。

これで植物の影をオシャレに合成することができます 。

影以外の部分は白く飛ばしたいので、色調補正で明るさを調整しましょう。

影の色を背景の色相に寄せると、より画像になじませることができます。ここでは背景のうすい黄色に寄せています。位置を調整して完成です 。

Point

影の画像のサイズを小さく調整した時に、画像の端が不自然に途切れてしまうケースがあります。そんな時は影のレイヤーにマスクを作成して、黒の柔らかめのブラシで描画しましょう。描画した部分を非表示にすることができます。

マスクの作成ボタン

不自然に途切れている

マスクを作成して黒で描画

マスクを作成して作業

様々な影の素材を生成するプロンプト例

▶ **Prompt** 「植物の影　モノクロ　白背景」

様々な植物の
影が作れる！

▶ **Prompt** 「モンステラ属　モノクロ　白背景」

植物の属性も
指定できる！

▶ **Prompt** 「窓の影　モノクロ　白背景」

様々な窓の影も
作れる！

デザインのアレンジ見本

▶「植物の影　モノクロ　白背景」

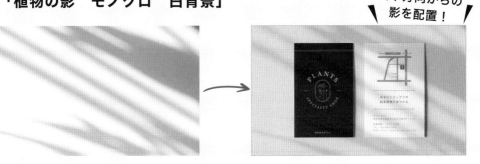

右下方向からの
影を配置！

▶「植物の影　モノクロ　白背景」

小さな葉を配置
やさしい雰囲気になる！

▶「窓の影　モノクロ　白背景」

窓の影を配置
ドラマチックな演出！

▶「窓の影　モノクロ　白背景」

影を大きく配置
印象を強くできる！

植物の影を合成する時に気を付けること

　人物の顔など、立体的なモノに植物の影を合成する時には注意が必要です。

　立体に影が落ちる時は、形に合わせて影が変形したり濃淡が変化しないと不自然になってしまいます。

　今回紹介したやり方は、平面的な画像との相性が良い合成方法です。

影が立体に変形しておらず、
不自然な印象になっている

立体的なモノに影を合成した失敗例

アドビ公式動画①
初心者向け：生成AIを活用しよう

アドビのYouTubeチャンルで、Photoshopの「生成塗りつぶし」と「生成拡張」の基本的な使い方を紹介する動画を公開しており、この動画では、私が直接解説を行っています。動画で操作方法を学びた方はぜひチェックしてみてください。

【Photoshop】初心者向け：生成AIを活用しよう | アドビ公式

https://youtu.be/Jwk3vNzXEKs?si=qi0urXmEnIrtYxow

COLUMN | コラム

Photoshop（Beta）の新機能①

ゼロから画像を生成する機能「画像を生成」

　本書では、執筆時のPhotoshopの最新機能である「生成塗りつぶし」を使ってゼロから画像を生成する方法を紹介しています。ただ、利用のタイミングによっては今、ベータ版※として公開されている機能が製品版として搭載されていることもあるでしょう。Photoshop（Beta）では生成結果がかなり向上しているので、もし製品版でこの機能が搭載されている場合は、次に紹介する「画像を生成」の機能を使うことをおすすめします。

「画像を生成」の使い方

　カンバスに表示されるコンテキストタスクバーから［画像を生成］ボタンをクリックします。

　「画像を生成」機能の画面が開きます。
　「テキストプロンプトボックス」や、そのまま使用したり編集したりできる「インスピレーションギャラリー」など、画像を生成するのに役立つ設定項目が表示されます。

　コンテンツタイプを［写真］と［アート］から選ぶことができます。
　また、スタイルで［参照画像］や［効果］を設定することで、生成結果を詳細にコントロールすることもできます。

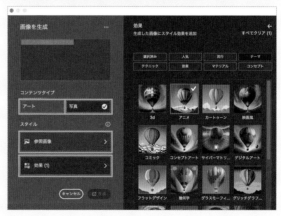

※ベータ版…開発中のサンプルのこと。ベータ版で作成したコンテンツは商用利用ができないので注意が必要です。

説明のプロンプトを入力して、［生成］ボタンを押すと、新しい生成レイヤーが作成され、プロパティパネルに3つのバリエーションが表示されます。

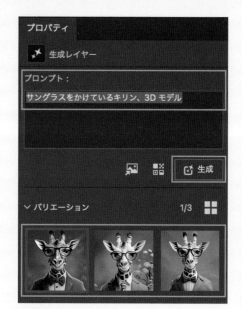

生成後にプロパティパネルから、スタイルや効果、プロンプトを再調整することもできます。

参照画像はアップロードすることもできる。

3

レタッチ・合成（Ps）

画像のレタッチや合成の品質は、個々のスキルや経験に大きく左右されます。

しかし、Photoshopの生成AIを効果的に活用することで、誰でも簡単に高度な加工を行うことが可能です。そして、それが驚くほど短時間で実現できます。

この章では、どのような加工ができるのか、どのような場面で活用できるのかを具体的に学んでいきます。

Ps

一人旅のデザインを作れた！

デザインに合わない部分を削除できた！

削除ツール

ここに困った！

1人を削りたい

そうすれば一人旅のデザインに
まとめられるのに！

🖼 1人を削除した画像　　　🖼 提供素材

削除ツール を使って画像内の不要なもの削除する方法

「**削除ツール**」は、画像内の不要なものを簡単に削除することができるツールです。削除した部分の背景は、AIが予測して自然な状態に生成してくれます。ここでは、海辺を歩く2人の画像から1人を削除する方法を解説して、その画像をデザインに活用する方法を紹介します。

Check

画像内の人物を1人だけにする理由

女性専門の旅行雑誌の表紙をデザインします。一人旅をテーマにした号なので、女性が一人旅を楽しんでいるイメージの写真を使いたいと考えています。

イメージにピッタリ合う写真が見つかったのですが、女性が2人で写っている写真でした。どうしてもこの写真が使いたかったので、1人を画像内から削除し、デザインに合わせることにしました。

01 │ 画像を準備する

加工したい画像をPhotoshopで開きます。この画像の右の人物を削除します 01。

> この写真を使いたいが、人物が2人いる。一人旅のテーマに合わない

02 │ 新規レイヤーを作成する

加工したい画像レイヤーの上に新規の空レイヤーを作成します。ここでは「補正」とレイヤー名を付けました。 02。

新規レイヤーを作成した

Point

新規レイヤーを作っておくと、後の工程で元の画像を破壊することなく別レイヤーで人物を削除することができます。

> ここをクリックして新規レイヤーを作成

03 | 削除ツールの設定をする

ツールパネルで［削除ツール］を選択します。もし、［削除ツール］が見つからない時は、［スポット修正ブラシツール］のツールを長押しするといいでしょう 03。

上のオプションバーに削除ツールの設定が出るので、「全レイヤーを対象」にチェックを入れます 04。ブラシサイズを写真の対象物を消しやすいサイズに調整します。ここでは160pxにしています 05。

長押しして切り替えている

チェックを入れる

Point

04 の画像で、［各ストローク後に削除］のチェックを入れると描画直後にすぐに削除されます。作業が早くなりますが、予期せぬ削除をしてしまうこともあるので、慣れないうちはチェックを外しておくのがおすすめです。

消しやすいサイズのブラシ

04 | 人物をドラッグして描画する

「補正」レイヤーを選択した状態で、消したい人物をドラッグで描画します 06。人物全体を満遍なくドラッグして描画しましょう。

Point

輪郭ギリギリではなく、少し余裕を持って描画しましょう。また、影も忘れずに一緒に選択します。

もし描画した部分を消したい時は、上のオプションバーの［ブラシ領域から削除（マイナスのボタン）］を押してから描画しましょう **07** **08**。また、描画したい場合は［ブラシ領域に追加］を押してください。

ブラシ領域に追加　　ブラシ領域から削除

ブラシ領域から削除できる

ドラッグ

05 | 人物を削除する

消したいエリアを描画できたら、オプションバーの［現在のストロークに適用（○ボタン）］をクリックします **09**。
これだけで、画像内の不要な人物を削除することができました **10**。
11 が元の画像です。削除した部分の背景がとても自然に生成されているのがわかると思います。

現在のストロークに適用をクリック

人物が削除された

Point

別レイヤーに生成されているので、レタッチ作業を行ったレイヤーを非表示にするだけで、元の状態に戻すことができます。

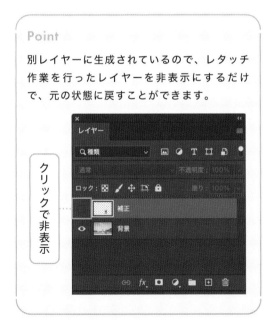

クリックで非表示

06 | デザインを作成する

この画像を使って、女性専門の旅行雑誌の表紙をデザインします。

本作例では、誌面の中央に女性がくるようにレイアウトしました 。

画像内の人物を1人にしたことで、女性が1人で旅行を楽しんでいる雰囲気を出すことができました。

COLUMN | コラム

「削除ツール」を使う時に気を付けること

　「削除ツール」は、削除した部分をAIが予測して自然な状態にしてくれますが、削除する部分に**文字がある時**は注意が必要です。

　現状のAIでは文字の内容までは予測できないので、不自然な状態になることがあります。特に日本語は不自然になることが多いので気を付けましょう。

文字が不自然な形に
生成されてしまった

「削除ツール」の様々な使い方とアイデア

▶ 重なっている人物を削除

手の部分は生成される

手前側だけ削除する！

▶ 金網を削除

手前の金網だけ削除する！

▶ 馬の馬具を削除

馬具だけ削除する！

▶ 絵画の中の人物を削除

絵画の特定の人物だけを削除する！

デザインのアレンジ見本

▶ 遠くにいる人を削除

ぼやけている対象も
削除できる！

▶ 風景の被写体を削除

風景の被写体も
削除できる！

**▶ 水につかっている写真
から削除**

難しいと思う写真も
削除できる！

▶ イラストの人物も削除

イラストでも削除できる！

Ps 3-2 画像の背景を変更しよう

背景を変更できた！

この画像をご提示ください！

¥1,000OFF

SPECIAL COUPON

割引クーポン GET

利用期限：2024年8月~2025年8月　注意事項：おひとり様一点、一回限りの使用です。

デザインにマッチした！

生成
塗りつぶし

提供素材

| Prompt | コンクリートの背景 | 生成 |

ここに困った！
背景を変更したい
そうすればもっと商品が
格好よく見せられるのに！

生成塗りつぶし を使って、画像の背景を変更する方法

　背景の選択範囲を作ってから「**生成塗りつぶし**」を使用すると、背景をプロンプトで指定したシーンに差し替えることができます。

　ここでは、スニーカーの画像を使って背景を変更する方法を解説して、その画像をデザインに活用する方法を紹介します。

Check

画像の背景を変更する理由

　スニーカーショップのデジタルクーポン画像をデザインします。

　使用するスニーカーの画像は提供素材として決まっているのですが、物撮り写真のシンプルな背景のままでは少し物足りないと考えています。

　そこで「生成塗りつぶし」を使って、背景をコンクリートに変更することでスタイリッシュな雰囲気を出し、物足りなさを解消しようと思います。

01 | 画像を準備する

まずは加工したい画像を Photoshop で開きます。このスニーカーの画像の背景を変更します 01 。

この背景を変更したい

02 | 背景の選択範囲を作成する

スニーカーの選択範囲を作成します。コンテキストタスクバーの［被写体を選択］のボタンを押します 02 。コンテキストタスクバーについては P.035 を参照してください。

これで、スニーカーの選択範囲が作成できました。

［被写体を選択］をクリック

Point

今回は「被写体を選択」の機能を使用していますが、選択範囲を作成する他の方法でも大丈夫です。使用する画像に合わせてベストな方法を選びましょう。

選択範囲ができた

03 | 選択範囲を反転する

上のメニューから［選択範囲］→［選択範囲を
反転］を選択します 03。

これで、背景の選択範囲が作成できました 04。

選択範囲が反転された

04 | 背景を生成する

選択範囲が作成できたら、コンテキストタスク
バーの［生成塗りつぶし］ボタンをクリックし
05、プロンプト入力欄に「コンクリートの背
景」と入力して［生成］ボタンをクリックしま
す 06。
たったこれだけで、コンクリートの背景に変更
することができました 07。

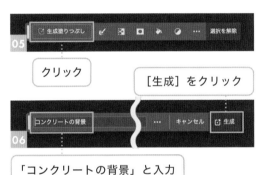

クリック

［生成］をクリック

「コンクリートの背景」と入力

Point

接地面の影も生成しますので自然な合成に
なります。

影も自然に合成

「コンクリートの背景」に変わった

プロパティパネルに3つのバリエーションが表
示されるので、好きなバリエーションを選びま
しょう 08。
欲しい画像がなかったら、もう一度［生成］ボ
タンをクリックして新たなバリエーションを追
加することができます。

欲しい画像が
なかったら、
もう一度［生
成］ボタンを
クリック

3つのバリエー
ション

今回は、コンクリートの空間が一番自然に表現
できている画像を選びました。

05 | 背景を変更した画像を使って デザインを作成する

この画像を使って、スニーカーショップのデジ
タルクーポン画像をデザインします。
本作例では、生成した背景の上部にメインの文
言がくるようにレイアウトしました。
背景をコンクリートにしたことで、シンプルか
つ、スタイリッシュなデザインにすることがで
きました。

画像の背景を変更する様々な使い方とアイデア

▶ Prompt「ビーチの背景」

人物画像も
できる！

▶ Prompt「桜の背景」

車の画像も
できる！

▶ Prompt「道路の背景」

動物の画像も
できる！

▶ Prompt「秋の森の背景」

イラスト画像も
できる！

デザインのアレンジ見本①

▶ 木の背景を作ってデザインを作成

▶ 水の背景を作ってデザインを作成

▶ 森の背景を作ってデザインを作成

▶ ペンキの背景を作ってデザインを作成

デザインのアレンジ見本②

▶ ヨガ教室のチラシデザイン

＼ 室内で撮影した写真 ／

＼ 背景を屋外に生成 ／

Prompt 「公園　芝生」

＼ デザインまで作成！ ／

▶ お菓子教室のSNS投稿用画像

撮影した
お菓子の
写真！

背景を
おしゃれに
生成！

Prompt 「木のテーブル　キッチンクロス」

右上に
ティーカップ
を追加！

Prompt 「見切れたティーカップ」

デザイン
まで作成！

1 アドビの生成AIとは　2 画像の拡張・生成（Ps）　3 レタッチ・合成（Ps）　4 文字の加工（Ps）　5 ベクターデータの生成AI（Ai）　6 最新の生成AI（Firefly）

Photoshop（Beta）の新機能②

画像の背景を生成するフローがもっと簡単になる

　P.089で紹介している「画像の背景を変更しよう」は2024年5月現在のPhotoshop（Beta）では、もっと簡単に画像の背景を生成することができます。

　画像のレイヤーを選択すると、コンテキストタスクバーに［被写体を選択］と［背景を削除］の2つが表示されます。

　［背景を削除］を選びます。

　背景がマスクで削除され、コンテキストタスクバーに［背景を生成］と［背景を読み込み］の2つが表示されます。

　［背景を生成］を選びます。

プロンプトを入力して生成のボタンをクリックします。

ここでは「コンクリート」と入力しました。

※ベータ版…開発中のサンプルのこと。ベータ版で作成したコンテンツは商用利用ができないので注意が必要です。

たったこれだけで、背景の画像を生成することができます。

背景の画像を生成できる

COLUMN | コラム

自分で撮影した画像の背景を後から生成する

自分のスマホやカメラで撮影する際もシンプルな背景にしておけば、背景は後から「生成塗りつぶし」で生成できます。

撮影シーン（右の左画像）と撮影したシンプルな背景の画像（右の右画像）。

「水面の反射　夕方のビーチ」

「雪の背景」

「大理石の台座　植物の背景」

参考動画：https://youtube.com/shorts/R69Aly-hUSY?si=ltK99nK6sJeby7x2

ビジネスのデザインにマッチした！

Sales Position

高待遇の転職
営業職

年収800万円以上の求人多数

Firefly 営業職専門の転職サイト　　詳細はこちら ≫

モデルの服装を変更できた！

**生成
塗りつぶし**

ここに困った！

スーツの写真がない！

ラフな写真しかなくて、営業職の
求人のデザインが作れない！

🖼 生成した画像　　　🖼 提供素材

| Prompt　スーツ　ネイビー | ✦ 生成 |

生成塗りつぶし を使って、人物画像の服装を変更する方法

　人物画像の服の上に選択範囲を作り「**生成塗りつぶし**」を使用すると、プロンプトで指定した服装に差し替えることができます。

　ここでは、「カジュアルな服装」から「スーツ」に変更する方法を解説して、その画像をデザインにまで活用する方法を紹介します。

Check

画像の背景を変更する理由

　営業職専門の求人サイトのバナー広告のデザインを作成します。使用するモデルの写真は決まっているのですが、服装がカジュアルなので営業職の雰囲気が伝わりにくいです。

　そこで「生成塗りつぶし」を使って、男性の服装をスーツに変更しようと思います。

01 | 画像を準備する

まずは加工したい画像をPhotoshopで開きます。このカジュアルな服装をスーツに変更します 01 。

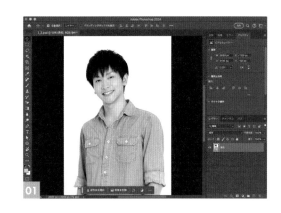

02 | 選択範囲を作成する

ツールパネルのなげなわツール で に切り替えて、ざっくりとした体の選択範囲を作成します 02 。

Point

服装にきっちり合わせて選択範囲を作成すると不自然な結果になるケースが多いです。選択範囲は大きめに、ざっくりと作成しましょう。

大きめにざっくりと選択範囲を取る

03 | 背景を生成する

選択範囲が作成できたら、コンテキストタスクバーの［生成塗りつぶし］ボタンをクリックし 03、プロンプト入力欄に「スーツ　ネイビー」と入力して［生成］ボタンをクリックします 04。

たったこれだけで、服装をスーツに変更することができました 05。

プロパティパネルに3つのバリエーションが表示されるので、好きなバリエーションを選びましょう 06。

欲しい画像がなかったら、もう一度［生成］ボタンをクリックして新たなバリエーションを追加することができます。

欲しい画像がなければ［生成］をクリック

3つのバリエーションがある

今回は、ネクタイの柄がシンプルで一番自然に生成できている画像を選びました 07。

> **Point**
>
> きれいな画像を生成するために、今回は生成を5回ほど繰り返しています。

クリック

［生成］をクリック

「スーツ　ネイビー」と入力

スーツに変わった

一番シンプルな画像を選んだ

04 | 服装を変更した画像を使ってデザインを作成する

この画像を使って、営業職専門の求人サイトの広告バナーデザインを作成します。

本作例では、メインの文言の右側に人物がくるようにレイアウトしました。

男性をカジュアルな服装からスーツにしたことで、営業職を連想できるデザインにすることができました 。

COLUMN | コラム

服装を変更する時に気を付けること

服装を変更する際、人物のポーズが大きく変わってしまうことがあります。ポーズを変えてはいけないケースでは注意しましょう。

生成塗りつぶしの際に腕回りのポーズが変わってしまった

半袖から半袖に変更する場合など、あえて腕を選択範囲から外してから生成することで元のポーズを維持することができます。

腕を選択範囲から外したことでポーズが変わらない

（Prompt「スポーツ　ユニフォーム」）

人物画像の服装を変更する様々なアイデア

▶ スーツからドレスに変更

Prompt
「ドレス　黒」

▶ スカートからパンツに変更

Prompt
「スーツ　パンツ　ネイビー」

▶ 上半身裸からTシャツ
に変更

Prompt
「Tシャツ　黒」

▶ 頭に帽子を被せる

Prompt
「ニットキャップ」

デザインのアレンジ見本

▶ 女性の営業職

女性の営業職にも
使える！

▶ 保育士版

保育士の服装にも
使える！

▶ 看護師版

看護師の服装にも
使える！

▶ 土木作業員版

ポーズも
調整できる！

イメージポスターまで作れた！

背景に水面の表現ができた！

生成
塗りつぶし

生成した画像

提供素材

ここに困った！

水面を合成したい！

しかし、上手に合成する
技術がない！

生成 塗りつぶし の適用度を調整して、写真の背景に水面を合成する方法

「生成塗りつぶし」の適用度を低くすることで、画像の雰囲気を保ったまま背景に水面を合成することができます。

ここでは、真上から撮影した香水の写真に水面を合成する方法を解説して、その画像をデザインに活用する方法を紹介します。

Check

画像の背景を変更する理由

新商品の香水のイメージポスターを作成します。

デザインに使う香水の写真は、背景に水を引いて透明感のあるイメージに仕上げたいと考えています。しかし、撮影の際に水面を表現するのは、高い技術が必要で、外部に頼むにもコストがかかります。

そこで、シンプルな背景で撮影した後に、生成塗りつぶしを使って水面を合成することにしました。

01 | 画像を準備する

まずは加工したい画像を Photoshop で開きます 01 。

香水の画像を開いた

02 | 被写体を切り抜きする

コンテキストタスクバーの［被写体を選択］ボタンをクリック 02 、香水の選択範囲を作成します 03 。

Point

ここでは「被写体を選択」を使っていますが、選択方法はこの他の方法でも大丈夫です。

選択範囲を作成した

03 | レイヤーを複製する

選択範囲ができたら ⌘ (ctrl)＋ J キーで、選択範囲の部分だけレイヤーを複製します  04 。

> **Point**
>
> 「コピーしてレイヤー複製」のショートカット
> キー：⌘ (ctrl)＋ J キー

香水の切り抜き画像を複製した

04 | 選択範囲を作成する

元画像のレイヤーを選択した状態で、ツールパネルの下にある［クイックマスクモードで編集］のボタンを選択します 05 。
上のメニューから［編集］→［塗りつぶし］を選択します 06 。

［クイックマスクモードで編集］ボタンを選択

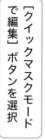

塗りつぶしの設定画面が開くので、次の通りに設定します 07 。

> ［内容：ブラック］［描画モード：通常］
> ［不透明度：70%］

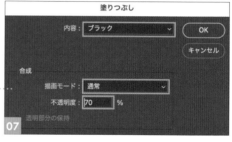

> **Point**
>
> 不透明度の指定は、100％から作りたい選
> 択範囲の％を引いた数字を記載します。ここ
> では30％の選択範囲を作りたかったので、
> 「100 - 30 = 70」と計算し、「70％」に
> 指定しています。

［OK］をクリックと、画像がうっすらと赤い状態になります 08 。

この状態でもう一度［クイックマスクモードで編集］ボタンをクリックすると、選択範囲が作成されます 09 。

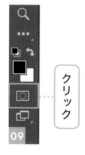

クリック

何も表示されていませんが、これで「30%」の
選択範囲が作成できています 。

05 | 水面を生成する

選択範囲が作成できたら、コンテキストタスク
バーの［生成塗りつぶし］ボタンをクリックし
、プロンプト入力欄に「水面」と入力して［生
成］ボタンをクリックします 。

「水面」と入力　　　　　　クリック

たったこれだけで、背景に水面を合成すること
ができました 。

適用度を「30%」にしたことで、元の香水の影
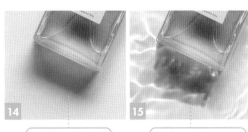 を少し残したまま、水面に反射して歪んだ影
をきれいに表現しています 。これは画像を切
り貼りするだけの合成では難しい表現です。

背景に水面を合成することができた

元の香水の影　　　　水面に反射して
　　　　　　　　　　歪んだ影を表現

Point

100%の選択範囲
で生成した場合、
元の写真は完全に
無視された状態
で、水面だけが生
成されます。

06 | バリエーションを選択する

プロパティパネルに3つのバリエーションが表示されるので、好きなバリエーションを選びましょう。
欲しい画像がなかったら、もう一度［生成］ボタンをクリックして新たなバリエーションを追加することができます 。

今回は、水面と香水の影が綺麗に生成できている画像を選びました 17。

欲しい画像がなかったら、もう一度［生成］ボタンをクリック

3つのバリエーション

> ### Point
> きれいな画像を生成するために、今回は生成を5〜10回ほど繰り返しています。

水面と香水の影がきれいに生成できている

07 | 形が変わっていないかチェックする

最初に切り抜いた香水のレイヤーを非表示にすると、香水自体の形も変わってしまっているのがわかります。ラベルの文字も不明な文字になっています 18。
これを防ぐために、P.105で最初に香水を切り抜きしています。
なお、切り抜きレイヤーを上から表示しても、変形した香水がはみ出てしまうことがあります 19 20。

切り抜いた画像を非表示にした。香水の形も、ラベルの文字も変わってしまっている

元画像

はみだした部分

その場合はツールパネルの［削除ツール］  で補正していきます。

切り抜きレイヤーと生成したレイヤーの間に新規の空レイヤーを作成します。ここでは「補正」とレイヤー名を付けています 21。

新規の空レイヤー

ここをクリックしてレイヤーを作成

08 | 変形した香水を削除する

［削除ツール］に切り替えて 22、オプションバーの「全レイヤーを対象」にチェックを入れます 23。

切り抜き画像からはみ出している箇所をドラッグで消していきます 24 25 26。

最後に切り抜きレイヤーを表示させたら完成です 27。

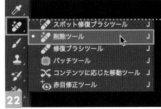

長押しすることで表示できる

ドラッグで消す

チェック

09 | 水面を合成した画像を使って デザインを作成する

この画像を使って、新商品の香水のイメージポスターを作成します。

本作例では、画像の上下に文字情報を配置するレイアウトにしました。

水面を合成したことで、透明感のあるきれいなデザインに仕上げることができました 28 。

水面を合成する様々な使い方とアイデア

▶ 花も水面に浮かせる

水面と花を
組み合わせる！

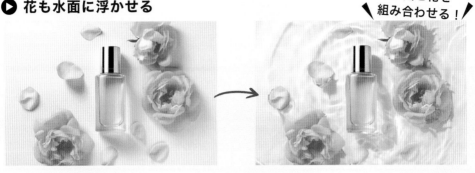

▶ 涼しさを感じさせる食事の表現に使える

涼感の表現に
使える！

▶ 氷の画像ともうまく合う

氷と
組み合わせる！

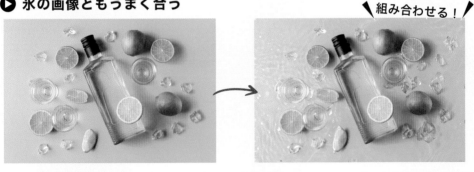

▶ 鏡面反射を水面にする

鏡面反射の
水面にする

デザインのアレンジ見本

▶ 大理石にしたデザイン

美しさと高級感を出せる！

▶ 氷にしたデザイン

冷たさ、涼しさを表現できる！

▶ フェザーにしたデザイン

軽やかな質感！

▶ シルクにしたデザイン

柔らかさの表現

Ps 3-5 水面の反射を合成しよう

1 アドビの生成AIとは　2 画像の拡張・生成 (Ps)　3 レタッチ・合成 (Ps)　4 文字の加工 (Ps)　5 ベクターデータの生成AI (Ai)　6 最新の生成AI (Firefly)

水の反射が美しいデザインが作れた！

水面の反射ができた！

生成
塗りつぶし

Prompt　水面　反射　　　　生成

🖼 生成した画像　　　🖼 提供素材

ここに困った！
水面を合成したい！
水面の反射でボトルの美しさを
もっと表現したい！

生成塗りつぶし を使って、水面の反射を合成する方法

「生成塗りつぶし」を使えば、モノが水面に反射している様子を表現することができます。
　ここでは、ボトルの切り抜き画像を使って水面の反射を合成する方法を解説して、その画像をデザインに活用する方法を紹介します。

Check

画像の背景を変更する理由

　化粧水のバナーデザインを作成します。商品の画像に水面を合成して、みずみずしい印象を与えたいと考えています。
　しかし、水面の素材画像を使って合成すると、ボトルの反射をきれいに表現するのが難しいです。
　そこで「生成塗りつぶし」を使って、水面と水面に反射したボトルを一緒に生成しようと思います。

01 | 画像を準備する

まずは反射させたい切り抜き画像を用意します。ここではボトルの切り抜き画像を使用します `01`。
切り抜き画像の下のレイヤーに背景を作成します。ここでは上にいくほど明るくなる青のグラデーションの背景を作成しています `02`。

切り抜き画像

> **Point**
>
> グラデーションはツールパネルの［グラデーションツール］🔲 で作成することができます※。

> **Point**
>
> 背景は画像でもベタ塗りでもグラデーションでもなんでも構いませんが、シンプルなものがきれいに生成できるのでおすすめです。
> また、切り抜き画像ではなく被写体と背景が一緒になった1枚画像でも構いません。

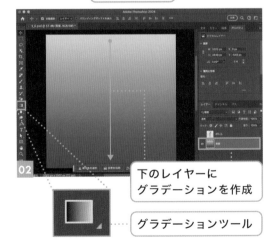

下のレイヤーに
グラデーションを作成

グラデーションツール

※本書ではアプリの基本操作については解説をしておりません。基本操作を知りたい場合はPhotoshopの入門書などを参考にして学習してください。

02 | 選択範囲を作成する

切り抜き画像のレイヤーを選択した状態で、水面を作りたい場所に［長方形選択ツール］ [icon] で選択範囲を作成します 03 。ボトルに少し被るように選択範囲を作るのがコツです。

少し被るように選択範囲を作成

03 | 水面の反射を生成する

「水面　反射」と入力　　　［生成］をクリック

選択範囲が作成できたら、コンテキストタスクバーの［生成塗りつぶし］ボタンをクリックし、プロンプト入力欄に「水面　反射」と入力して［生成］ボタンをクリックします 04 。

たったこれだけで、水面の反射を生成することができました 05 。

> **Point**
> ボトルが水に反射して、歪んでいる様子がきれいに表現できています。
>
> ボトルが
> 水に反射
> している

水面の反射が生成できた

プロパティパネルに3つのバリエーションが表示されるので、好きなバリエーションを選びましょう。

欲しい画像がなかったら、もう一度［生成］ボタンをクリックして新たなバリエーションを追加することができます 06 。

欲しい画像がなかったら、もう一度［生成］ボタンをクリック

3つのバリエーション

04 | 美しい画像を選ぶ

今回は、水面や反射が一番美しく表現できている画像を選びました 07 。

Point

きれいな画像を生成するために、生成を5〜10回ほど繰り返しています。

水面や反射が一番美しい画像を選んだ

05 | ボトルの形状をチェックする

なお、水面とボトルの接地面を拡大すると、ボトルの形状が変わってしまっているケースがあります 08 。

このような場合は、生成したレイヤーの上にボトルの切り抜きレイヤーを複製して 09 、本来の形状が見えるようにしてあげましょう 10 。

複製したボトルは、マスクで接地面を隠してあげるとより自然に仕上げることができます 11 。

ボトルの形状が変わった　　元の形

切り抜きレイヤーを複製

本来の形状が上になった

マスクで接地面を隠す

06 │ 水面の反射を合成した画像を使ってデザインを作成する

今回は 07 で生成した画像を使って、化粧水のバナーデザインを作成します。

本作例では、ボトルの両サイドにキャッチコピーや訴求の文言がくるようにレイアウトしました。また、いくつかの光の画像を[描画モード：スクリーン]で重ねています。

水面の反射を合成にしたことで、化粧水のみずみずしさが伝わるデザインになりました 12 。

COLUMN │ コラム

アドビ公式動画② 「生成塗りつぶし」をデザイン制作に活用しよう！

アドビのYouTubeチャンルで、3-5（P.113）、3-6（P.120）の解説を実演付きで紹介しています。動画で操作方法を学びた方はぜひチェックしてみてください。

【CC道場 #474】Photoshopの「生成塗りつぶし」をデザイン制作に活用しよう！- タマケン | アドビ公式

https://www.youtube.com/live/zVDiB-kYs2c?si=oGilipd8_RV0jszG

COLUMN │ コラム

水面の反射を合成する時に気を付けること

水面の反射を合成する際、反射させるモノに文字が入っている時は注意が必要です。**生成塗りつぶしは文字に弱いです**。不明な形状が映し出されることがあります。消しても問題ない場合は、削除ツールやスポット修復ブラシで水面から文字を消してしまいましょう。

文字の部分はうまく生成できないことがある

水面の反射の様々な使い方とアイデア

▶ 街の風景

街が水上都市に！

▶ 時計

金属の質感が映える！

▶ オレンジ

フルーツの瑞々しさを際立たせる！

▶ ビーチボール

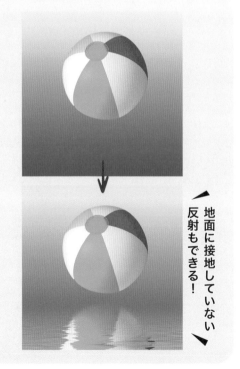

地面に接地していない反射もできる！

デザインのアレンジ見本

▶ **Prompt** 「水の波紋」

水の波紋も作れる！

▶ **Prompt** 「鏡面反射」

鏡面反射にも応用できる！

▶ **Prompt** 「大きな波」のデザイン

波と合わせて
躍動感を出せる！

▶ **Prompt** 「オレンジの水面反射」のデザイン

オレンジの水面も作れる！

背景のグラデーションと
ボトルをオレンジに色変更

プロンプトを「オレンジの
水面の反射」として生成

犬が自然に芝生にいるデザインを作れた！ ……

思いっきり遊べる！！

接地面が自然に合成された！ ……

生成
塗りつぶし

📷 提供画像

ここに困った！

接地面の合成が大変！

もっとラクに、早く、自然に、
接地面の合成を作りたい！

犬を背景に合成、しかし
不自然な感じも出ている！

生成塗りつぶし を使って、切り抜き画像の接地面を自然に合成する方法

「**生成塗りつぶし**」は、切り抜き画像と背景画像の接地面をきれいに合成することができます。

ここでは、犬の切り抜き画像と芝生の画像を使って接地面を合成する方法を解説して、その画像をデザインに活用する方法を紹介します。

Check

切り抜き画像の接地面を合成する理由

犬と楽しめる公園を紹介する記事のアイキャッチ画像を作成します。公園の芝生の画像を背景に使って、犬の切り抜き画像を後から合成したいと思います。

そのまま切り抜き画像の犬を配置するだけですと、犬と芝生の接地面が不自然になり合成感の強い見た目になってしまいます。

そこで「生成塗りつぶし」を使って、犬と芝生の接地面を生成することでリアリティーのある合成を表現しようと思います。

01 | 切り抜き画像と背景を準備する

まずは合成したい切り抜き画像を用意します。ここでは犬の画像を使用します 01。

切り抜き画像の下のレイヤーに背景画像を配置します。ここでは芝生の画像を背景にしています 02。

背景に芝生の画像を配置

下のレイヤーに配置

02 | 選択範囲を作成する

切り抜き画像のレイヤーを選択した状態で、接地面に［なげなわツール］  で選択範囲を作成します 03。

> **Point**
>
> どのエリアに芝生が被れば自然に見えるかを意識しながら、少し大きめに選択範囲を作成しましょう。

接地面に選択範囲を作成

03 | 接地面を生成する

コンテキストタスクバーの［生成塗りつぶし］ボタンをクリックし 04、プロンプト入力欄には何も入力せず［生成］ボタンをクリックします 05。

クリック

［生成］をクリック

> **Point**
>
> 必ず上の切り抜きした画像のレイヤーを選択した状態で生成しましょう。下の背景レイヤーを選択した状態だと上手く生成できません。

たったこれだけで、接地面の芝生を生成することができました 06。右ページ中段の拡大画像がわかるPointも確認してみましょう。
プロパティパネルに３つのバリエーションが表示されるので、好きなバリエーションを選びましょう 07。欲しい画像がなかったら、もう一度［生成］ボタンをクリックして新たなバリエーションを追加することができます。

> **Point**
>
> きれいな画像を生成するために、今回は生成を１〜３回ほど繰り返しています。

欲しい画像がなかったら、もう一度［生成］ボタンをクリック

３つのバリエーション

04 | 配置場所で生成する

今回はデザインのレイアウトを考えて、犬を右に寄せてもう一度生成しました 。生成AIは配置場所で生成するのが重要です。レイアウトを変更する際は再度生成するといいでしょう。

05 | 接地面を合成した画像を 使ってデザインを作成する

この画像を使って、犬と楽しめる公園を紹介する記事のアイキャッチ画像を作成します。
本作例では、犬の左側にキャッチコピーや訴求の文言がくるようにレイアウトしました。
犬の接地面を生成にしたことで、リアリティーのあるデザインに仕上げることができました 。

Point

接地面を拡大して見てみると、犬の手前にある芝生や影がとても自然に生成できているのがわかります。本当にそこに存在するかのような表現ができています。

犬の手前にある芝生や影が生成できる

COLUMN | コラム

接地面を合成する時に気を付けること

接地面を合成する際、選択した部分の切り抜き画像の形も一緒に変わってしまいます。
動物や植物などの有機物の場合は問題ありませんが、**商品画像などデザインが変わってはいけないもの**を合成する時は注意が必要です。気を付けるようにしましょう。

商品のデザインが変わってしまっている

接地面を自然に合成する様々なアイデア

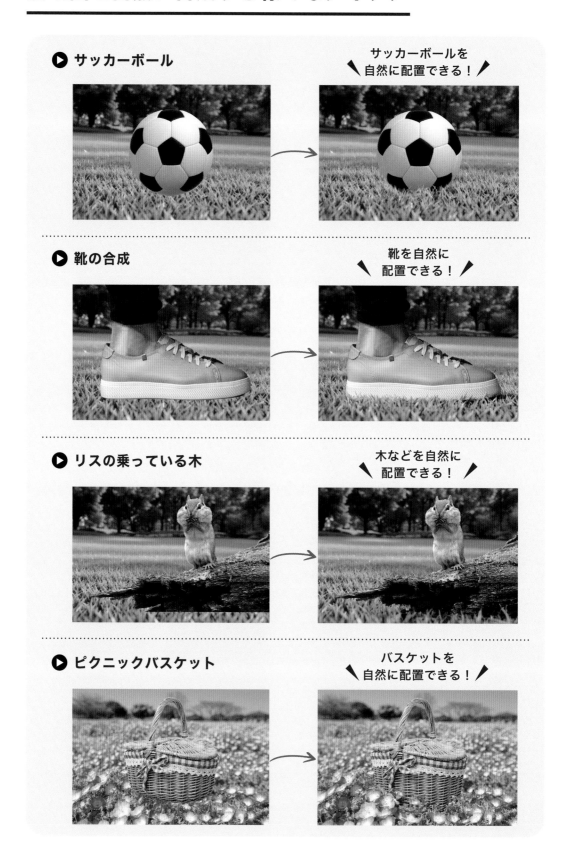

▶ サッカーボール

サッカーボールを
自然に配置できる！

▶ 靴の合成

靴を自然に
配置できる！

▶ リスの乗っている木

木などを自然に
配置できる！

▶ ピクニックバスケット

バスケットを
自然に配置できる！

デザインのアレンジ見本

▶ 雪

◥ 雪のデザイン！◢

▶ 砂浜

◥ 砂浜のデザイン！◢

▶ 川

◥ 水の上のデザイン！◢

▶ 抽象的な画像

◥ 抽象的な画像でも
合わせられる！◢

りんごと水の接地面を合成する

　接地面の生成による合成と同様の手順で、プロンプトに指定をすることでまた異なった表現をすることができます。ここでは切り抜いたりんごを水の背景の上に配置し、選択範囲を作成して、プロンプトに「水飛沫(ひまつ)」と入力しています。

　たったこれだけでりんごが水に飛び込んだような迫力のある瞬間の接地面を表現することができます。

　生成AIは使い方次第、アイデア次第で様々なことができます。色々と試してみるといいでしょう！

①背景を用意する　　　　　　　　　②切り抜いたりんごを配置

③選択範囲を作成してプロンプトに　④りんごが水に飛び込んだ瞬間を表現
　「水飛沫」として生成　　　　　　　できる

1 アドビの生成AIとは　2 画像の拡張・生成 (Ps)　3 レタッチ・合成 (Ps)　4 文字の加工 (Ps)　5 ベクターデータの生成AI (Ai)　6 最新の生成AI (Firefly)

2つを繋げるデザインを作れた！

春は桜の花の下で家族と特別な時間を過ごそう

秋は紅葉に包まれて穏やかな秋の一時を過ごそう

VILLAGE PROJECT
生成村で暮らす
移住計画
移住プロジェクト
SEISEIMURA EMIGRATION
生成村に移住しませんか？

春と秋、2つが繋がった！

＋

生成塗りつぶし

📷 提供素材

📷 合成した画像

ここに困った！
2つを繋げるデザインが作りたい！
でも作るのが難しい！

生成塗りつぶし を使って、2枚の画像の境目を自然に繋ぐ方法

「**生成塗りつぶし**」は、全く別の2枚の画像の間を生成することで、2枚の画像を自然に繋ぐことができます。

ここでは、「春の風景」と「秋の風景」の2枚の画像を使って、境目を自然に繋ぐ合成方法を解説し、その画像をデザインに活用する方法を紹介します。

Check

2枚の画像の境目を合成する理由

とある村の移住計画プロジェクトのキービジュアルデザインを作成します。

この村の魅力は「春の桜」と「秋の紅葉」の2つです。この魅力を伝えるために、春と秋の2枚の画像を背景に使いたいと考えています。

2枚の写真を自然に繋げて1枚の画像にしたいのですが、レタッチや合成が難しく、なかなか上手く表現できませんでした。

そこで「生成塗りつぶし」を使って、2枚の境目を生成して自然に繋げてみようと思います。

01 | 2枚の画像を配置する

まずは合成したい2枚の画像を用意します

> **Point**
>
> 合成する画像はできるだけサイズ感やレイアウトが似たものを選びましょう。

Photoshopで画像を開き、アートボードの両サイドにそれぞれの画像を配置します。ある程度距離を離して配置してください 03。

春の桜

秋の紅葉

ある程度距離を離して配置

レイヤー

02 | 選択範囲を作成する

一番上のレイヤーを選択した状態で、ツールパネルの［長方形選択ツール］ ▭ に切り替えて、2枚の画像の間に選択範囲を作成します 04 。

> **Point**
>
> それぞれの画像に少し被るように、大きめに選択範囲を作成しましょう。

選択範囲を作成

03 | 境目を生成する

選択範囲が作成できたら、コンテキストタスクバーの［生成塗りつぶし］ボタンをクリックし 05 、プロンプト入力欄には何も入力せず［生成］ボタンをクリックします 06 。

クリック   ［生成］をクリック

> **Point**
>
> 必ず一番上のレイヤーを選択した状態で生成しましょう。下のレイヤーを選択した状態だと上手く生成できません。

たったこれだけで、2枚の画像の境目を自然に生成することができました 07 。
この生成のすごいところは自身で作業をしても、なかなか作ることができない合成をとても簡単に作ることができることです。デザイナーの時間を短縮し、発想を広げられる、とても有益な活用方法となるでしょう。

境目をとても自然に生成できた

> **Point**
>
> 拡大してみると、春と秋の色味が徐々に交わってゆき、とても自然に生成できているのがわかります。
>
>

プロパティパネルに3つのバリエーションが表示されるので、好きなバリエーションを選びましょう 08 。

欲しい画像がなかったら、もう一度［生成］ボタンをクリック

3つのバリエーション

今回は、境目の色みが一番きれいに表現できている画像を選びました 。

> **Point**
>
> きれいな画像を生成するために、今回は生成を1〜3回ほど繰り返しています。

04 | 境目を生成した画像を使ってデザインを作成する

この画像を使って、移住計画プロジェクトのキービジュアルデザインを作成します。
本作例では、境目を生成した画像を背景として全面に配置しています。
真ん中にロゴを配置して、両サイドに「春の桜」と「秋の紅葉」の魅力を伝えるサブコピーを配置しました。2枚の画像の境目を自然に生成できたことで、春と秋の両方の魅力が伝わるデザインに仕上げることができました 。

COLUMN | コラム

境目を生成する時に気を付けること

2枚の画像のサイズやレイアウト、水平線があまりにも違いすぎると上手く繋ぐことができません。できるだけ似た構図の画像を使うようにしましょう。

サイズやレイアウト、水平線が異なる例

生成してもうまく繋がらない結果になる

2枚の画像を繋ぐ合成の様々な使い方とアイデア

▶ 紅葉とイチョウ

紅葉とイチョウが
上手に合成された！

▶ 写真とイラスト

写真と作品を繋げるような
合成もできる！

▶ 芝生と花

芝生と花のような
合成もできる！

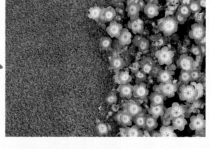

▶ 絵画と絵画

絵画の間も自然に
合成できる！

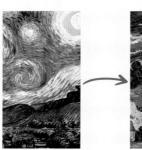

デザインのアレンジ見本

▶ 冬の景色と夏の景色

季節の移行のような
デザインに使える！

▶ 紅葉と葉っぱ

合成することで
グッと魅力的になる！

「2枚の画像を繋ぐデザイン」で表現できること

2つのアイテムを比較する際、背景画像を2分割するデザインはよくあります。2つの要素が視覚的に区別できるレイアウトは、見る人に比較をわかりやすく伝えることができます。

2つの画像を明確な境界線で区分けするのもいいですが、2つの画像をなじむように合成していくのもまた魅力的です。画面に一体感がでて、2つのアイテムの比較がスムーズで移り変わりがゆるやかな表現を作ることができるでしょう。

なお、このなじむ合成作業は難しく、適当に行ってしまうとデザインの質を低下させてしまう恐れがあります。もし合成スキルに自信がなければ、生成AIを利用するといいでしょう。新しいPhotoshopについた生成AIの機能は、デザイナーの時間を節約し、かつ高品質なデザインを作り出す道具となります。おすすめです。

明確な境界線の区分け

なじむ合成の区分け

1 アドビの生成AIとは

2 画像の拡張・生成 (Ps)

3 レタッチ・合成 (Ps)

4 文字の加工 (Ps)

5 ベクターデータの生成AI (Ai)

6 最新の生成AI (Firefly)

スーパー
ズーム

画像の粗さが少なくなった！

画像が粗い

そのまま
拡大

📷 提供画像

ここに困った！

画像が小さい！

でもできるだけ劣化させずに
拡大したい！

スーパー
ズーム

画像の解像度とサイズを上げる方法

　ニューラルフィルターにある「**スーパーズーム**」は、画像の**劣化を抑えながら**解像度とサイズを上げることができる機能です。AIが足りないピクセルを補完してくれるので、劣化を抑えることできます。ここでは、サイズが小さい画像を使って、画像の劣化を抑えながらサイズと解像度を上げる方法を紹介します。

Check

スーパーズームを使う理由

　クライアントから渡された画像が小さかったり、画像を拡大して使用することで解像度が足りなくなって困ってしまうということはよくあります。

　ただ単に拡大してしまうと画像が劣化して見栄えが悪くなってしまいますが、できるだけ劣化を抑えながら画像を拡大したいので「スーパーズーム」を使って画像を拡大することにします。

01 | 画像を準備する

まずは加工したい画像をPhotoshopで開きます**01**。

> 明らかに解像度が低いのがわかる

Photoshopの上のメニューから［イメージ］→［画像解像度］を選択し、画像解像度を調べると右下の情報のようにだいぶ低いことがわかりました**02**。

> 今回使用する画像の情報
> 幅：250px　高さ：250px
> 解像度：72pixel/inch

02 | ニューラルフィルターを開く

Photoshopの上のメニューから［フィルター］
→［ニューラルフィルター］を選択します 。

03 | スーパーズームを適用する

ニューラルフィルターの画面が開くので［スー
パーズーム］の項目をクリックし、［オン］に
します 04。

> **Point**
>
> 初めてスーパーズームを使用する場合はダウ
> ンロードが必要です。［ダウンロード］ボタン
> をクリックしましょう。
>
>
>
> クリック

ここをクリックして［オン］にする

クリック

まずはスーパーズームに表示された右下にある
虫眼鏡マークの［＋］ボタンをクリックして何
倍に拡大するかを設定します 05。
スーパーズームは、最大で16倍まで拡大でき
ます。縦横比の16倍を面積比にすると256倍
です 06。ここでは最大の「16x」にしています。

> **Point**
>
> 今回は最大にしていますが、倍率を上げれば
> 上げるほど処理に時間がかかります。必要な
> サイズ以上は上げないようにしましょう。

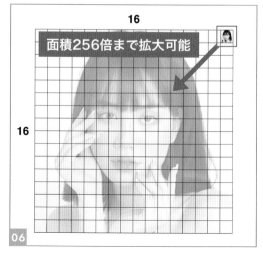

面積256倍まで拡大可能

04 | スーパーズームの調整

スーパーズームは［画像のディテールを強調］
［JPEGのノイズを削除］［ノイズの軽減］［シャープ］［顔のディテールを強調］の5つを設定できます 。

▼スーパーズームの設定項目の機能名と効果

機能名	効果
画像のディテールを強調	画像のコントラストを強くします。
JPEGのノイズを削除	ピクセルの境界に発生したノイズを消してくれます。
ノイズの軽減	画像全体のノイズを軽減してくれます。
シャープ	画像全体をシャープにしてくれます。
顔のディテールを強調	AIが顔と判断した箇所をくっきりと表示させます。

ここでは［画像のディテールを強調：チェック］
［JPEGのノイズを削除：なし］［ノイズの軽減：
5］［シャープ：5］［顔のディテールを強調：
チェック］と設定しています 08。

Point

「JPEGのノイズを削除」は下の画像のような色ぶれの劣化を削除してくれます。もしサイズが小さいだけで劣化していない場合はチェックを入れる必要はありません。

[画像のディテールを強調
：チェック]

[ノイズの軽減
：5]

[シャープ：5]

[JPEGのノイズ
を削除：なし]

[顔のディテールを
強調：チェック]

ニューラルフィルターの下段から出力先を［新規ドキュメント］と［新規レイヤー］のどちらか選びます。今回は出力先を「新規ドキュメント」にしました 09。

新規ドキュメントを選んだ

05 | 出力して完成

設定できたら［OK］をクリックし出力します
。

これで、低解像度の画像をきれいに拡大するこ
とができました。

> ### Point
>
> **拡大後の画像の情報**
>
> Photoshopで［イメージ］→［画像解像度］
> を確認すると幅4000px、高さ4000px、解
> 像度300pixel/inch（dpi）となっているの
> がわかります。
>
>

画像を拡大した例（拡大率：10x）

幅180px　高さ180px　解像度72dpi　→　幅1800px　高さ1800px　解像度300dpi

▶ 男性の画像

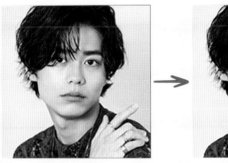
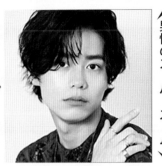

▶ 子供の画像

▶ 車の画像

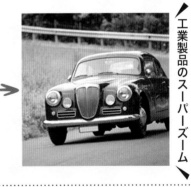

▶ ひまわりの画像

男性のスーパーズーム

子供のスーパーズーム

工業製品のスーパーズーム

植物のスーパーズーム

Photoshop（Beta）の新機能③

3つの便利な新機能

　2024年5月現在、Photoshopのベータ版には「参照画像」「解像度UP」「類似を生成」という3つの機能が追加されています。

● 参照画像

　「生成塗りつぶし」や「画像生成」を使用する時に、プロンプトに加えてスタイルの参照画像を指定することができます。

　これにより、今までよりもっと狙い通りの生成結果を得られることができます。

▼ 参照画像の使い方
生成塗りつぶしの場合

　コンテキストタスクバーで生成塗りつぶしのボタンを押した後に、❶のアイコンを押して、参照にしたい画像をアップロードします。

　また、生成した後にプロパティパネルから❶のアイコンを押して、参照にしたい画像をアップロードすることもできます。

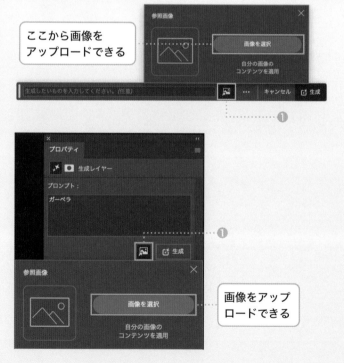

※ベータ版…開発中のサンプルのこと。ベータ版で作成したコンテンツは商用利用ができないので注意が必要です。

画像生成の場合

　画像生成の画面にある［参照画像］のボタンをクリックして、画像をアップロードするか用意されたものから選ぶことができます。

●解像度UP

　「生成塗りつぶし」で生成した箇所を、後から解像度を上げることができます。これにより、大きい画像に生成塗りつぶしを使用したときに、生成した部分だけ解像度が低い状態を避けることができます。

▼ 解像度UPの使い方

　生成した後にプロパティパネルから解像度を上げたい画像にマウスカーソルをのせて、❷のアイコンをクリックすると解像度を上げることができます。

●類似を生成

　生成した結果の中から1つ選んで、似たものを更に生成することができます。

　「いい感じだけと惜しい！」という時に、その画像に類似した画像をもう3パターン生成してくれます。

Ps 3-9 写真を修復してカラー化しよう

写真が修復された！

写真がカラーになった！

カラー化

写真を復元

ここに困った！

写真が古い！

古い写真を修復させて、
できればカラーにしたい！

写真を復元

写真を復元とカラー化を使って、古い写真を修復しカラーにする方法

　ニューラルフィルターの「**写真を復元**」は、傷や汚れが目立つ古い写真を、きれいに復元してくれる機能です。また、「**カラー化**」はモノクロ写真を自動で着色してくれる機能です。

　この2つの機能を使って、劣化した古いモノクロ写真をきれいに復元して、カラー写真に加工する方法を紹介します。

Check

写真を修復してカラーにする理由

　とある雑誌の企画で、古い写真を誌面に使うことになりました。

　クライアントから渡された写真は、ひどく劣化していて傷が入った状態です。この写真をきれいに修復して、当時の雰囲気がリアルに伝わるように色をつけてほしいという要望を受けています。

　しかし、自分で修復して着色するにはスキルと時間が足りません。そこでニューラルフィルターの「写真を復元」と「カラー化」を使って、写真を復元してカラーに補正することにします。

01 | 画像を準備する

まずは加工したい画像をPhotoshopで開きます **01**。

> 傷があり、ひどく劣化しているのがわかる

02 | ニューラルフィルターの「写真を復元」を適用する

まずは写真の傷を修復します。上のメニューから［フィルター］→［ニューラルフィルター］を選択します **02**。

ニューラルフィルターの画面が開くので［写真を復元］を［オン］にします **03**。

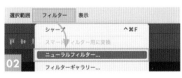

> クリックして［オン］にする

Point

初めて「写真を復元」を使用する場合はダウンロードが必要です（P.136 スーパーズームのPointも参照）。

03 | 設定を調整する

［写真の強調］、［顔の強調］、［スクラッチの軽減］の3つを設定できます。プレビュー画面を見ながら設定しましょう。ここでは［写真の強調：50］［顔の強調：60］［スクラッチの軽減：100］に設定しています 04 05 。

機能名	効果
写真の強調	画像全体のコントラストを強くします。
顔の強調	AIが顔と判断した箇所をくっきりと表示させます。
スクラッチの軽減	画像にある傷を目立たなくしてくれます。

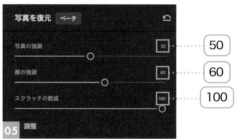

> **Point**
>
> 人物写真ではない場合は「顔の強調」は表示されません。

下にある［調整］のタブを開くと、［ノイズの軽減］［カラーノイズの軽減］［ハーフトーンのノイズの軽減］［JPEGのノイズの軽減］の4つの詳細な設定を行うことができます。
今回は設定せずに［OK］をクリックして、ニューラルフィルターを終了します 06 。

クリックすると開ける

今回は設定せず

これだけで、古い写真をきれいに修復することができました 07 。

> **Point**
>
> 細かい傷や汚れが残ってしまった時は、「スポット修復ブラシ」「コピースタンプツール」「削除ツール」などの修正を行うブラシで細かく修復しましょう。

傷が消えてきれいになった

04 | ニューラルフィルターの「カラー化」を適用する

次に写真に色をつけていきます。上のメニューから［フィルター］→［ニューラルフィルター］を選択します。

ニューラルフィルターの画面が開くので「カラー化」を［オン］にします 09 。

これだけでAIが予想するカラーが自動で適用されます 10 。

彩度や色味の調整など、細かい調整は下にスクロールするとある［色調補正］の項目から行います。
今回は何も調整せずに［OK］をクリックします 11 。

これだけで、モノクロ写真をカラー写真に加工することができました 12 。

クリック

クリックすると
開ける

今回は
設定せず

カラーになった

写真を修復する時に気を付けること

人物画像を「写真を復元」で修復する時、目に傷が入っている場合は注意が必要です。

右の参考画像のように不自然な目が生成されることがあります。

写真の復元

修正前　　　　　　　　修正後

このような時は「生成塗りつぶし」を使う方が自然に生成することができます。

生成塗りつぶし

生成塗りつぶしで修正　カラー化

古い写真を修復してカラー化した例

▶ 傷が大きい画像①

大きな傷も修復できる！

▶ 傷が大きい画像②

大きなテープ跡も修復できる！

▶ 黄ばみが強い画像

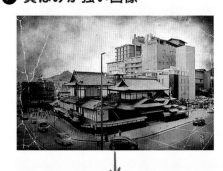

◀ 黄ばみも修復できる！ ▶

▶ イラストの画像

古いイラストポスターも修復できる！

ニューラルフィルターの種類①

Photoshopの［フィルター］→［ニューラルフィルター］で利用できるニューラルフィルターには、合計12種類のフィルターがあります（2024年5月現在）。

まずは「ポートレート」と「クリエイティブ」「カラー」について紹介します。

ポートレート

・肌をスムーズに … シミやニキビをきれいにできる

・スマートポートレート … 顔の表情や年齢を変えることができる

・メイクアップを適用 … 選択した別画像に似たメイク加工ができる

 +  =

元画像   選択した別画像   元画像に似たメイクを加工

クリエイティブ

・風景ミキサー（ベータ版）… 画像を組み合わせたり、時間や季節に合わせた加工ができる

・スタイルの適用 … 参照画像から選んだ絵のテクスチャーを適用できる

カラー

・調和（ベータ版）… 色合いが違う合成画像をなじませてくれる

元画像　　　　　　　　　色合いが違う画像　　　　　元画像がなじんで合成した

・カラーの適用（ベータ版）… 選択した別画像の色を反映できる

・カラー化 … 選択した別画像の色を反映できる（P.142参照）

COLUMN | コラム

ニューラルフィルターの種類②

ニューラルフィルターの「写真」「復元」について紹介します。

写真

・スーパーズーム … 解像度を下げずに画像を拡大できる（P.134参照）

・深度ぼかし（ベータ版）… 画像に距離感を出せる

復元

・jpegのノイズを削除 … jpegの圧縮によりできたノイズを取り除く

・写真の復元（ベータ版）… 傷などが入った古い写真を復元できる（P.142参照）

4
—

文字の加工（Ps）

Photoshopの「生成塗りつぶし」機能は、文字の加工にも活用できます。「アイデアはあるけれど、どうやって表現すればいいかわからない」「レタッチ・加工をやりきるスキルがない」という場合でも、この機能を使えば、複雑な文字加工をとても簡単で瞬時に、まさに思い通りに実行できます。

この章では、どのような表現が可能か発想を紹介しつつ、完成までの具体的な操作手順を学んでいきます。

Ps

Photoshop & Illustrator & Firefly
An Introductory Guide to Generative AI Design

Ps 4-1 砂浜に文字を描こう

サマーセールのデザインを作れた！

砂浜に手で描いたような文字を作れた！

生成塗りつぶし

🖼 生成した画像

Prompt	砂に描いた文字	⊡ 生成

ここに困った！

砂浜に文字を描きたい！

でもレタッチしてもなかなか上手に作れない！

生成塗りつぶし を使って、砂浜に描かれた文字を生成する方法

「生成塗りつぶし」は、文字の加工にも活用することができます。ここでは砂浜の画像を使って、砂浜に描かれた文字を生成する方法を解説して、その画像をデザインに活用する方法を紹介します。

Check

文字を加工する理由

ショッピングモールのサマーセールのバナーデザインを作成します。

ひらめいたアイデアとしては砂浜の画像を背景に使って、砂浜に「Sale」の文字を描く、そのようなデザインにしたいと考えました。

レイヤースタイルを使って色々と試したのですが、レタッチや加工で表現することがなかなか難しくうまくできません。

そこで「生成塗りつぶし」を使って、砂浜に書かれた文字を生成することにしました。

01 | 画像とテキストを準備する

真上からのアングルの画像

まずは砂浜の画像をPhotoshopで開きます 01 。

Point

用意する画像は真上からのアングルを選びましょう。

画像の上にテキストを配置します。今回は「Sale」と入力します。使用したフォントは［フォントの種類：Filmotype Keynote］です。Adobe Fonts※のフォントを利用しています 02 。

Point

フォントの種類はできるだけ手描きのイメージに近いものを選びましょう。また、太めのフォントがおすすめです。

※Adobe Fonts … Adobe Creative Cloudのプランに含まれる追加料金なしで使えるフォントサービス。20000以上の高品質なフォントがある。日本語のフォントも500以上ある。

02 | 文字の選択範囲を作成する

レイヤーパネルから、文字のレイヤーの「T」アイコンを ⌘ (ctrl) キーを押しながらクリックします 03 。

これで文字の選択範囲は作成されます。[レイヤーの表示を切り替え...] をクリックし、文字のレイヤーは非表示にしましょう 04 。

> [レイヤーの表示を切り替え...] をクリック

> ⌘ (ctrl) キーを押しながらクリック

> 文字のレイヤーが非表示になり選択範囲だけ残った

03 | 文字を生成する

選択範囲が作成できたら、コンテキストタスクバーの [生成塗りつぶし] ボタンをクリックし 05 、プロンプト入力欄に「砂に描いた文字」と入力して [生成] ボタンをクリックします 06 。

たったこれだけで、レタッチや加工で表現することがなかなか難しかった「砂浜に描かれた文字」を生成することができました 07 。

> クリック

> 「砂に描いた文字」と入力

> クリック

Point

拡大しても砂の盛り上がりや質感が、とても自然に生成できています。

Point

文字が上手く表現できない場合は「砂に描いた文字 Sale」のように、生成したい文字を後ろに足すと上手くいくケースがあります。生成AIは常に進化しています。色々と試してみましょう。

> 砂の盛り上がりや質感がとても自然

04 | バリエーションを選択する

プロパティパネルに3つのバリエーションが表示されるので、好きなバリエーションを選びましょう。
欲しい画像がなかったら、もう一度［生成］ボタンをクリックして新たなバリエーションを追加することができます。

3つのバリエーション

> 欲しい画像がなかったら、もう一度［生成］ボタンをクリックして新たなバリエーションを追加

今回は、文字の明暗がくっきりしていて、砂の凹凸が一番自然に表現できている画像を選びました。

Point

きれいな画像を生成するために、今回は生成を2〜3回ほど繰り返しています。

05 | 生成した文字の画像を使ってデザインを作成する

この画像を使って、ショッピングモールのサマーセールのバナーデザインを作成します。
本作例では、砂浜に書いた「Sale」の文字が目立つように中央に大きく配置し、その周りに夏のアイテムをちりばめました。
生成塗りつぶしを使い、表現するのが難しい文字加工を簡単に実現することができました。

Point

デザインの最終形のレイアウトを考えて文字の大きさや配置を行い生成するといいでしょう。

砂浜に文字を描く様々な使い方とアイデア

▶ 別の砂浜　**Prompt**「砂浜に描いた文字」

明るい砂浜で
やさしいイメージに！

▶ 土　**Prompt**「砂に描いた文字」

土の上にも
応用できる！

▶ 粘土　**Prompt**「粘土に描いた文字」

粘土の上にも
応用できる！

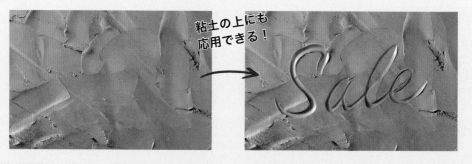

▶ 砂浜のイラスト画像　**Prompt**「砂浜に描いた文字、水彩、イラスト」

イラストにも
応用できる！

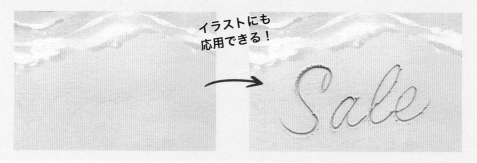

デザインのアレンジ見本

▶ 冬のセールバナー　Prompt「雪に描いた文字」

COLUMN | コラム

砂浜に描かれた文字を生成する時に気を付けること

　この加工は「**砂浜の画像選び**」と「**フォント選び**」がとても重要です。砂浜の画像は角度が付きすぎていると上手く表現できないので、なるべく真上からのアングルを選びましょう。

　フォントはできるだけ手書きがイメージしやすい種類を選びましょう。細すぎたり太すぎると上手く生成することができません。

　程よいフォントが見つからない場合は、選択範囲を作成した後に、選択範囲を「拡張・縮小」して調整する方法もよいでしょう。比較的シンプルな形なら日本語でも生成することができますが、複雑な漢字や長い文章では表現することができません。

　成功する線引きは難しく、Photoshopのバージョンによっても変わってくると思われるため、はっきりと明言はできません。この作例に限りませんが、生成AIでは、できるかどうか色々と試してみるといいでしょう。

角度が付いていると難しい

フォントは細すぎても駄目

フォントは太すぎても駄目

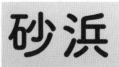

シンプルな漢字

砂浜に漢字が描けた

Ps 4-2 石板に文字を彫刻しよう

モックアップの見せ方！

文字の彫刻が簡単にできた！

| Prompt 石に彫った文字　エンボス | ✦ 生成 |

🖼 生成した画像

生成
塗りつぶし

ここに困った！

文字の彫刻をしたい！

石板に文字の彫刻を
簡単にしたい！

※動画作成時からアプリケーションのUIが変更されています。一部、本文の解説とは異なる説明になっていますが、制作の流れはわかると思います。動画はあくまで補助特典としてご活用ください。

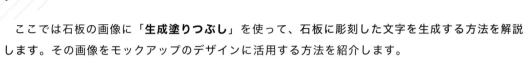 を使って、石板に彫刻した文字を
生成する方法

ここでは石板の画像に「**生成塗りつぶし**」を使って、石板に彫刻した文字を生成する方法を解説します。その画像をモックアップのデザインに活用する方法を紹介します。

文字を加工する理由

バーの表札のデザインを作成します。クライアントの要望はタイポグラフィだけのシンプルなデザインだったので、表札自体の素材にこだわりたいと思い石板を使用することにしました。

クライアントへ提案する際、石板に彫刻するイメージが伝わるように表札のモックアップも作成します。

しかし凸凹のある石板に文字を彫刻する合成が難しく、上手く表現できませんでした。そこで「生成塗りつぶし」を使って、石板に彫刻した文字を生成することにしました。

01 | 画像とテキストを準備する

まずは石板の画像を Photoshop で開きます 01 。

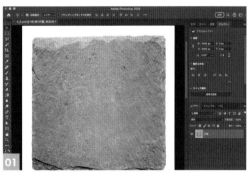

> **Point**
>
> 文字の配置がラクになるので、画像は正面からのアングルを選びましょう。

画像の上にテキストを配置します。今回は「BAR」と記載します 02 。
フォントの種類は［フォントの種類：DIN 2014］です。フォントは Adobe Fonts を使用しています。

> **Point**
>
> フォントの種類は太めのフォントがおすすめです。また、文字はテキストではなく、ロゴタイプ（文字列のロゴのこと）等の画像でも構いません。

02 | 文字の選択範囲を作成する

レイヤーパネルから、文字のレイヤーの「T」アイコンを ⌘ （ctrl）を押しながらクリックします 03 。

これで文字の選択範囲は作成されます。文字のレイヤーは非表示にしましょう 04 。

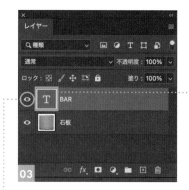

⌘ （ctrl）キーを押しながらクリック

クリックして文字のレイヤーは表示に

03 | 石板に彫刻した文字を生成する

選択範囲が作成できたら、コンテキストタスクバーの［生成塗りつぶし］ボタンをクリックし 05 、プロンプト入力欄に「石に彫った文字 エンボス」と入力して［生成］ボタンをクリックします 06 。
たったこれだけで、石板に書かれた文字を生成することができました 07 。

クリック　　　　クリック

「石に彫った文字　エンボス」と入力

Point

拡大しても石の凹凸や質感がとても自然に生成できています。

凹凸の質感が自然にできている

04 | バリエーションを選択する

プロパティパネルに3つのバリエーションが表示されるので、好きなバリエーションを選びましょう。欲しい画像がなかったら、もう一度［生成］ボタンをクリックして新たなバリエーションを追加することができます  08 。

今回は、文字の凹凸が一番自然に表現できている画像を選びました 09 。

欲しい画像がなかったら、もう一度［生成］ボタンをクリック

3つのバリエーション

Point

生成しても凹凸が上手く表現できないケースも多々あります。きれいな凹凸を生成するために、今回は生成を3〜6回ほど繰り返しています。

05 | モックアップのデザインを作成する

この画像を使って、バーの表札のモックアップを作成します。ここでは生成した石版の画像をPhotoshop上で選択し、［編集］→［変形］→［多方向に伸縮］の機能を使って変形して合成しています。
石板に彫刻した文字を生成したことで、クライアントに完成イメージをわかりやすく伝えることができました 10 。

［編集］→［変形］→［多方向に伸縮］を使い背景に合成した

石板に彫刻した文字を生成する時に気を付けること

　この加工は日本語でも可能
ですが、フォントが細かった
り、漢字が複雑だと上手く表
現することができません。

　また、シンボルマーク（図
案化したロゴのこと）などの
絵柄のデザインも上手く表現
できません。

どちらのケースも、生成塗
りつぶしではなく「レイヤー
スタイル」を使った従来の表
現方法（デザインの不透明度
を10〜20%にして、レイ
ヤースタイルの「ベベルと
エンボス」と「シャドウ内側」
を設定する）がおすすめで
す。生成AIの機能が付いた
からといって従来の方法を
使わなくなるわけではあり
ません。臨機応変に使用し
ていきましょう。

石板に文字を彫刻する様々な使い方とアイデア

▶ **Prompt**「コンクリートに彫った文字　エンボス」

コンクリートにも
応用できる！

▶ **Prompt**「コンクリートに彫った文字　エンボス」

斜めの構図でも
できる！

▶ **Prompt**「木に焼印で書いた焦げた文字」

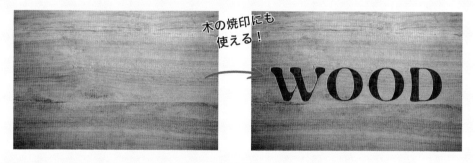

木の焼印にも
使える！

▶ **Prompt**「金属に刻印した文字　エンボス」

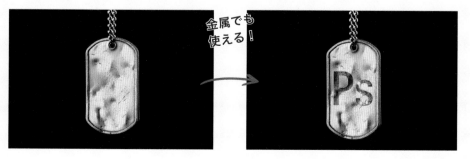

金属でも
使える！

Ps 4-3 刺繍の文字を作ろう

ハンドメイド感のあるデザインができた！

赤い刺繍ができた！

生成
塗りつぶし

| Prompt　赤い刺繍の文字 | 生成 |

🖼 生成したタイポグラフィ

ここに困った！

ハンドメイドならではの
デザインを作りたい！

でもどう作れば...

生成塗りつぶし を使って、刺繍の文字を生成する方法

布のテクスチャー画像に「**生成塗りつぶし**」を使って、刺繍の文字を生成する方法を解説します。そしてその画像をデザインに活用する方法を紹介します。

文字を加工する理由

ハンドメイド専門のフリーマーケットイベントのフライヤーを作成します。

デザインにハンドメイド感を出すために、メインの文字を刺繍風のタイポグラフィにしたいのですが、どうやって表現を作っていけばいいのかわかりません。

そこで「生成塗りつぶし」を使って、刺繍の文字を生成することを考えました。

---

01 | 画像とテキストを準備する

まずは布の画像を Photoshop で開きます **01**。

Point

画像は真上からのアングルを選びましょう。

真上からのアングル

Point

生成 AI でも作れる布の画像

布の画像は P.060 のテクスチャーを作る方法でも生成することができます。

Prompt「白い布　テクスチャー」

画像の上にテキストを配置します。今回は
「HAND MADE」と入力しました 。
フォントは［フォントの種類：College］を使
用しています。

> **Point**
>
> 範囲が大きい方がより刺繍感が出せるため、
> フォントの種類は太めのゴシック系フォン
> トがおすすめです。
> もし細いフォントを使用する場合は、後か
> ら選択範囲を拡大したりして調整するとい
> いでしょう。

02 │ 文字の選択範囲を作成する

レイヤーパネルから、文字のレイヤーの「T」
アイコンを ⌘（ ctrl ）を押しながらクリック
します 。
これで文字の選択範囲は作成されるので、文字
のレイヤーは非表示にしましょう 04。

⌘（ ctrl ）キーを押しながらクリック

クリックして非表示に

選択範囲だけ表示された

03 │ 刺繍の文字を生成する

コンテキストタスクバーの［生成塗りつぶし］
ボタンをクリックし 、プロンプト入力欄に
「赤い刺繍の文字」と入力して［生成］ボタン
をクリックします 。

> **Point**
>
> 刺繍感を出すだけならばプロンプトは「刺
> 繍の文字」だけでも大丈夫です。もしイメー
> ジとする指定の色がある際は色も指定する
> といいでしょう。

クリック

「赤い刺繍の文字」と入力　　　クリック

たったこれだけで、刺繍の文字を生成することができました 。

07

> **Point**
>
> 画像を拡大しても糸の不規則な輪郭がとても自然に生成できています。このようなレタッチや加工を施すのはとても難しく、生成AIの機能はとても利便性が高いと言えるでしょう。

04 | バリエーションを選ぶ

プロパティパネルに3つのバリエーションが表示されるので、好きなバリエーションを選びましょう 。
欲しい画像がなかったら、もう一度［生成］ボタンをクリックして、新たなバリエーションを追加することができます。

ここでは、糸が太くて質感がわかりやすい画像を選びました。「A」や「M」が特徴的で、面白い文字のデザインです 。

> **Point**
>
> きれいな刺繍を生成するために、今回は生成を3〜6回ほど繰り返しています。

08

欲しい画像がなかったら、もう一度［生成］ボタンをクリック

3つのバリエーション

09

05 | 生成した文字の画像を使って デザインを作成する

この画像を使って、ハンドメイド専門のフリーマーケットイベントのフライヤーを作成します。本作例では、左側の黒文字の情報以外をすべて刺繍の文字で表現しました。

刺繍の文字を生成したことで、デザイン全体にハンドメイド感が出て、イベントのイメージが伝わりやすくなりました 。

Point

MARKETの「T」の部分など、濃淡が他と異なる部分がありますが、これは生成した時に自動で濃淡が表現されたものです。その表現が面白いと思い、そのまま使用しています。生成塗りつぶしを使った文字加工には、こういった予想していなかった一期一会の出会いもあるのがいいところです。

COLUMN | コラム

素材がない状態で作っていくデザイン

　この節ではタイポグラフィだけでデザインを構成しています。デザインを制作する上で、クライアントから制作用の素材をもらえるとは限りません。

　例えば、初めて行うイベントのデザインなどでは、先例がないのでイベントのシーンを見せる写真もありません。そういった場合でも頭を使い、工夫をして、顧客に情報を届けられるデザインを作っていくのがデザイナーの仕事です。

　生成AIを使った様々なアイデアはデザイナーの手元で様々な発想を生み出すことができます。ゼロから生み出す方法も多数あり、使い方次第で、これまで以上にアイデアを形にすることができます。

　この本で紹介している方法が、少しでも手助けになりましたら幸いです。

COLUMN | コラム

刺繍の文字を生成する時に気を付けること

　刺繍の文字の加工は日本語でも可能です。ただし、フォントが細かったり漢字が複雑だと上手く表現することができません。

成功例

> 漢字とひらがなまで上手に刺繍ができている

失敗例

> 複雑な刺繍だと上手く表現できない

　英語も同様に、繊細なラインの筆記体など上手く刺繍が表現できません。

テキストの
状態

失敗例

　また、布に急な角度があったり、大きなシワがあると上手く表現できないので、できるだけフラットな素材を選びましょう。

　また、文字の間隔が狭かったり隙間が窮屈なフォントの場合は、隣同士がくっついてしまうケースがあります。これを味としてもいいのですが、必ず読ませたい文章の場合は注意が必要です。

> 布に斜め大きなシワが入っている。このような画像は上手く表現できない

> 文字がくっついている

刺繍の文字を作る様々な使い方とアイデア

▶ **Prompt**「刺繍の文字」

◢ デニム生地に刺繍ができる！ ◣

▶ **Prompt**「白い刺繍の文字」

◢ レース生地に刺繍ができる！ ◣

▶ **Prompt**「ワッペンの文字」

◢ キャップなどにも応用ができる！ ◣

▶ **Prompt**「黒い刺繍の文字」

◢ 服にも応用できる！ ◣

デザインのアレンジ見本

▶ Prompt「青い刺繍の文字」

＼ 爽やかなイメージが作れる ＼

▶ Prompt「黄色い刺繍の文字」

＼ ほっこりとした印象！ ＼

▶ Prompt「カラフルな刺繍の文字」

＼ パッと目を引く！ ＼

▶ Prompt「白黒の刺繍の文字」

＼ 様々な刺繍も取り入れられる！ ＼

ペーパークラフトのデザインができた！

ファッションスナップのデザインが作れた！

生成
塗りつぶし

| Prompt | 雑誌の切り抜き文字「P」 | 生成 |

ここに困った！
切り抜き文字が見つからない
かといって
ゼロから作るのは難しい

生成塗りつぶし を使って、紙の切り抜き文字を生成する方法

「生成塗りつぶし」を使って、何もないところから紙の切り抜き文字を生成する方法を解説します。また、その画像をデザインに活用する方法を紹介します。

紙の切り抜き文字を生成する理由

　雑誌の企画で、アウトドアのファッションスナップを特集することになりました。その紙面のデザインを作成します。

　写真を切り抜きしたペーパークラフト風のデザインにしたいと考え、それに合わせてタイトルも紙の切り抜き文字にしようと思います。

　しかし、切り抜き文字のいい素材が見つからず、かといって、一から自分で作るのも時間がかかってしまいます。

　そこで「生成塗りつぶし」を使って、紙の切り抜き文字を生成することにしました。

01 | 新規ファイルを作成する

まずはPhotoshopで新規ファイルを作成します。ここではサイズを、幅3000px × 高さ2000px、解像度：300pixel/inchにしています 01。

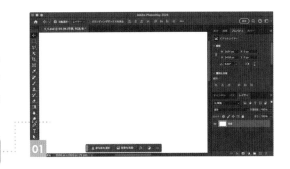

幅3000px × 高さ2000pxを作成

Point

本書では白背景を元に解説していますが、もし使いたい背景の色やテクスチャーがある場合は、最初に準備しておきましょう。

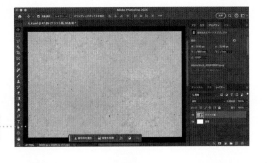

クラフト紙を背景にした場合

02 │ 選択範囲を作成する

ツールパネルの［長方形選択ツール］ [::] に切
り替えて、正方形の選択範囲を作成します 02 。

正方形の選択範囲を作成

03 │ 紙の切り抜き文字を生成する

選択範囲が作成できたら、コンテキストタスク
バーの［生成塗りつぶし］ボタンをクリックし
03 、プロンプト入力欄に『雑誌の切り抜き文
字「P」』と入力して［生成］ボタンをクリック
します 04 。
たったこれだけで、紙の切り抜き文字を生成す
ることができました 05 。

クリック

『雑誌の切り抜き文字「P」』と入力　クリック

> **Point**
>
> プロンプトの入力欄の「」の部分に作りた
> いアルファベットを１つ入れて生成します。

> **Point**
>
> もし指定の色のイメージがある場合は色を
> 指定するといいでしょう。
> 例）『雑誌の切り抜き文字「P」　ピンク』

切り抜きの「P」
が生成された

プロパティパネルに３つのバリエーションが表
示されるので、好きなバリエーションを選びま
しょう 06 。
毎回全然違うデザインが生成されるので、理想
とするデザインができるまで生成を繰り返しま
しょう。生成する度にいろんなデザインを生成
してくれるので、作りたいデザインに適した文
字を選びましょう。

理想とする
デザインが
できるまで
生成を繰り
返す

３つのバリエーション

同様の方法を繰り返して「PAPER」と、デザ
インの内容に繋がる「紙」の英単語を作成しま
した 07 。

04 | 生成した文字を使ってデザインを作成する

この生成方法を使って、ファッションスナップの特集ページをデザインします。今回は使いたい背景画像があるので、あらかじめP.173の下のPointで解説しているクラフト紙の画像を配置して、その上から「FASHION SNAP」の文字を1つずつ生成しました 08。

切り抜き文字を生成したことで、レトロで可愛らしい雰囲気に仕上げることができました 09。

「F」と生成した結果、たまたま「F!」が生成された。アクセントとなり面白いと思ったので選んで使用している。

COLUMN | コラム

紙の切り抜き文字を生成する時に気を付けること

この切り抜き文字の生成は、現時点では日本語の表現をすることができません。切り抜き文字に使う文字は「アルファベット」か「1桁の数字」で生成しましょう。

また、紙だけではなく、背景部分も一緒に生成されます。生成した後に別の背景を配置すると、前の背景が残ってしまいます。必ず使用する背景を準備した後に生成しましょう。

アルファベットは2～3個くらいまでなら一緒に生成できますが、長い文章の場合は生成することができません。

生成した後に背景を変更してしまった例。元の背景が残るため、違和感が出る。

例『雑誌の切り抜き文字「Long Text」』

テキストが変わっている

紙の切り抜き文字の様々な使い方とアイデア

▶ **様々なフォントの切り抜き**　**Prompt**『紙の切り抜き文字「A」』

様々なフォント
を出せる！

▶ **レトロな紙**　**Prompt**『レトロな紙の切り抜き文字「A」』

「レトロ」な
印象が出せる！

▶ **新聞の紙**　**Prompt**『新聞の紙の切り抜き文字「A」』

新聞の紙も
種類が出せる！

▶ **焦げた紙**　**Prompt**『焦げた紙の切り抜き文字「A」』

様々な
焦げが出せる！

紙の切り抜き文字の様々な背景とアイデア

▶ シワ付きの紙 Prompt『雑誌の切り抜き文字「A」』

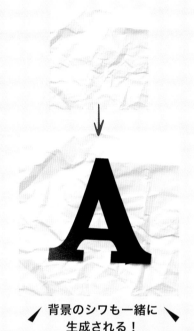

背景のシワも一緒に
生成される！

▶ フェルト風 Prompt『雑誌の切り抜き文字「A」』

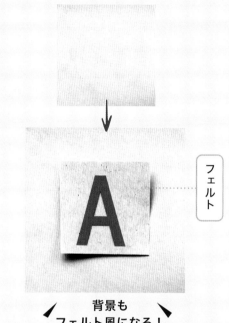

フェルト

背景も
フェルト風になる！

▶ かわいい布とデザイン Prompt『雑誌の切り抜き文字「A」』

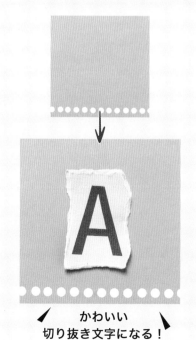

かわいい
切り抜き文字になる！

▶ コルクボードで3文字 Prompt『雑誌の切り抜き文字「ABC」』

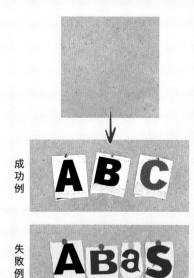

成功例

失敗例

文字が多いと指示通りに
ならないケースもある

その他の文字加工の生成例

「生成塗りつぶし」を使って表現できる、その他の文字加工の生成例を紹介します。

生成手順

① 文字を配置
② 文字の選択範囲を作る
　（文字レイヤーの「T」を
　⌘（ctrl）＋クリック）
③ 文字加工を生成

プロンプトと生成例

①Prompt「炎の文字」

②Prompt「氷の文字」

③Prompt「水の文字」

④Prompt「鉄の文字」

⑤Prompt「コンクリートの文字」

⑥Prompt「チョークで描いた文字」

⑦Prompt「クレヨンで描いた文字」

⑧Prompt「木の文字」

⑨Prompt「ペンキで描いた文字」

⑩Prompt「水彩の文字」

生成の際のポイント

使いたい背景がある場合は、先に画像を配置し、その後に生成を行いましょう。

現状では日本語の生成は上手くいかないケースがほとんどです。英語か数字を加工しましょう。

文字が上手く生成できない時は、プロンプト内に生成したい文字を記載しましょう。

例）氷の文字を生成したい時 → Prompt「ICE」

一瞬で狙い通りに表現できる！
Photoshopの「生成塗りつぶし」を文字の加工に活用しよう

アドビのYouTubeチャンルで、文字加工の解説を実演付きで紹介しています。動画で操作方法を学びた方はぜひチェックしてみてください。

一瞬で狙い通りに表現できる！Photoshopの「生成塗りつぶし」を文字の加工に活用しよう | Adobe Firefly Camp

https://www.youtube.com/live/Fw1stBilHoc?si=xQ8QteM4F8CQpxKY

COLUMN | コラム

生成塗りつぶしで文字を加工するメリットとデメリット

　生成塗りつぶしを使った文字加工には、いくつかの注意点があります。メリットとデメリットを理解した上で、従来の文字加工手法（レイヤースタイルや合成など）と併用して、状況に応じてベストな手法を選んでいくことをおすすめします。

●メリット

自分のスキルでは表現できなかった難しい文字加工ができる

　難しい文字加工に挑戦したいが「レイヤースタイルや合成を使った加工では、どうやって表現を作ればいいのかわからない」という時に使えます。生成塗りつぶしを使った文章でイメージを指示する文字加工を試してみるといいでしょう。

上手に使えば大きな時短になる

　本書で紹介している文字加工を従来の機能だけで表現しようとすると、とても長い時間がかかります。生成塗りつぶしを使えば一瞬で魅力的な表現ができます。時短が可能です。

●デメリット

後から背景を変更できない

　生成塗りつぶしは、周りの背景の一部も一緒に生成します。「後から別の背景に差し替えたい」と思っても、背景だけを差し替えると不自然な見た目になってしまいます。**後からの変更ができない**のです。どうしても背景を差し替えたい場合は、新たな背景の上でもう一度生成をしましょう。

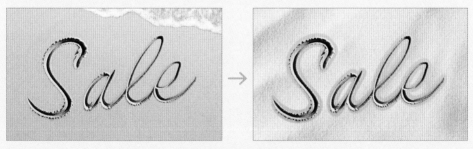

作った文字加工（左）の背景を変えた見本（右）。文字の周りに不自然さが出てしまう。

後からレイアウトを変更する時は注意が必要

　生成塗りつぶしは周りの背景の一部も一緒に生成します。背景が似た場所への移動は問題ありませんが、背景に変化がある場合は注意が必要です。レイアウトを変更する際も上記と同様、新たな場所に移動してからもう一度生成をしましょう。

 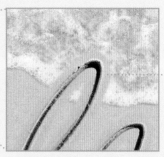

違和感が出る

加工した文字のレイアウトを変更した例。水にかかった部分に違和感が出る。

レイヤースタイルの様にスタイルを記憶できない

　生成塗りつぶしでの文字加工は、レイヤースタイルのように、コピーしたり記憶させておいたりすることはできません。

　別の文字に同じ加工をしたくなった時など、同じ加工がしたい場合は、同じプロンプトで生成することになります。しかし、同じ見た目が表現できるかはわかりません。

レイヤースタイルの方が得意な表現もある

　レイヤースタイルの方が得意な表現もあります。シンプルなガラスやゴールドの文字など、今までレイヤースタイルで綺麗に表現できていたものを、無理やり生成塗りつぶしに置き換える必要はありません。

　なんでも生成AIを使うのではなく、「レイヤースタイルでどう表現していいかわからない」という時に、生成塗りつぶしを試してみるのがおすすめです！

上記の表現は従来のレイヤースタイルを使った加工で作成できる。

CHAPTER

5
—

ベクターデータの生成 AI（Ai）

Illustratorにも、たくさんの魅力的なAI機能が搭載されています。
言葉のイメージからベクターデータのイラストを生成したり、効果
的な配色提案を作ってもらったりすることが可能になります。
これまでスキルのレベルによって品質に差が出ていた作業も、誰で
も簡単に高い品質で行うことができるようになります。
この章では、IllustratorのAI機能について学び、それらをどのよう
に活用できるか、具体的なデザインまで見せてを解説していきます。

Photoshop & Illustrator & Firefly
An Introductory Guide to Generative AI Design

5-1 テキストから配色を生成しよう

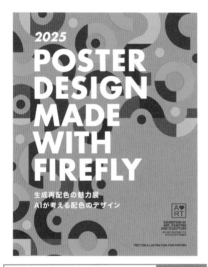

テキストから配色を指定できる！

思いつかないようなカラーバリエーションも作れる！

生成再配色

元のデザイン

ここに困った！

他の配色を見たい！

と言われた。でも1つひとつ調整するのは時間がかかる

生成再配色 を使って、言葉のイメージからデザインの配色を変更する方法

「**生成再配色**」とは、オブジェクトのカラーをAIが提案してくれる機能です。プロンプトにテキストを入力するだけで、そのテキストのイメージに合った配色に変更してくれます。ここではIllustratorで制作したポスターのデザインを使って、テキストの指示で配色を変更する方法を紹介します。

デザインの配色を変更する理由

展示会のポスターのデザインを作成しています。

レイアウトや文字組みなどのデザインまでは固まったのですが、クライアントから他の配色パターンも見てみたいと言われました。

様々な配色パターンを何個も細かく調整し作っていくのは手間も時間もかかります。また、自分の発想ではこれ以上良い配色が思いつかなかったこともあり、「生成再配色」の機能を使って言葉のイメージからカラーバリエーションを作ることにしました。

01 | 画像を準備する

まずはIllustratorで、配色を変更したいベクターデータを用意します 01。

> ベクターデータ。背景に複数のパーツがあり、様々な色を使っている

02 | 再配色の画面を開く

オブジェクトを選択した状態で、コンテキストタスクバーから［再配色］ボタンをクリックします 02。

> クリック

Point

Illustratorでコンテキストタスクバーを表示していない方は、上のメニューから［編集］→［カラーを編集］→［生成再配色］を選択すると出てきます。

03 | 生成再配色の画面を開く

「再配色」のパネルが開きます 03。
再配色のパネルには上に［再配色］と［生成再配色］のタブがありますので、［生成再配色］をクリックします 04。

> **Point**
>
> 生成再配色はベクターデータのみ使用できる機能です。画像データでは使用できません。

04 | イメージワードから配色を生成する

プロンプトの欄に配色のイメージワードを入力します。今回は赤を基調とした発色の良い配色を作りたかったので、「アクティブな赤」と入力して［生成］ボタンをクリックしてみました 05。
たったこれだけで、バリエーションの欄にアクティブな印象の鮮やかな赤を基調とした配色が生成されました。4つのバリエーションがあるので、好きなバリエーションを選びましょう 06。

> **Point**
>
> 欲しい配色がなかったら、もう一度［生成］ボタンをクリックして新たなバリエーションを追加することができます。

言葉だけでイメージを伝えるのが難しい時は、カラーの ➕ ボタンから、使用したい色を1色選び生成することもできます 07。

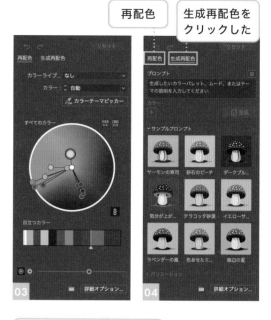

再配色　　生成再配色をクリックした

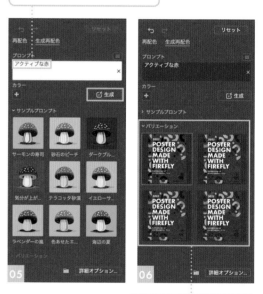

「アクティブな赤」と入力

4つのバリエーション

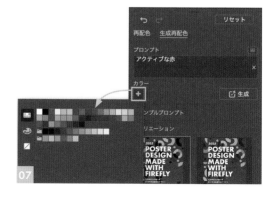

05 | 配色を選ぶ

今回は生成した配色パターンの中から、一番赤がきれいに見える配色を選びました 08 。

> **Point**
>
> きれいな配色を生成するために、今回は生成を2回ほど繰り返しています。

赤のデザインは
完成

06 | デザインのカラーバリエーションを作成する

さらに生成した配色を使って、デザインのカラーバリエーションを作成します。本作例では、プロンプトを変えて4つのカラーバリエーション作成しました 09 10 11 12 。
このように言葉のイメージを伝えるだけで、作りたい配色から、自分では思いつかないカラーバリエーションまで、簡単に作ることができます。

> **Point**
>
> プロンプトに「グレースケール」と入力すれば、モノクロのデザインにすることもできます。

Prompt
「アクティブな赤」
赤を基調とする活動的な配色が作れた

Prompt
「アンティーク」
茶や焦げ茶など落ち着いた印象の配色が作れた

Prompt
「ポップ カラフル」
明るくポップな印象の配色が作れた

Prompt
「気分が上がるディスコライト」
ライトをイメージする配色が作れた

生成再配色の様々な使い方とアイデア

▶ **ロゴデザインの場合**

元画像

Prompt「色あせたエメラルドの街」

元々あるサンプル
プロンプト！※

Prompt「ダークブルーの真夜中」

元々あるサンプル
プロンプト！※

Prompt「ビビッドカラー」

ビビッドな配色をテキスト
で指定できた！

Prompt「パステルカラー」

パステルカラーの配色を
テキストで指定できた！

※サンプルプロンプト … P.191「COLUMN 生成再配色のサンプルプロンプト」参照。

▶ イラストの場合

元画像

Prompt「春」

◢ 春の配色をテキストから作れた！◣

Prompt「夏」

◢ 夏の配色をテキストから作れた！◣

Prompt「秋」

◢ 秋の配色をテキストから作れた！◣

Prompt「冬」

◢ 冬の配色をテキストから作れた！◣

グラデーションの場合

▶ グラデーションの場合

元画像

Prompt「テラコッタ砂漠」

元々あるサンプルプロンプト！※

Prompt「ラベンダーの嵐」

元々あるサンプルプロンプト！※

Prompt「クールブルー」

ここでは青系にまとまった！

Prompt「エネルギッシュ」

明暗・色差のコントラストが付いた！

※サンプルプロンプト … 右ページ「COLUMN 生成再配色のサンプルプロンプト」参照。

生成再配色のサンプルプロンプト

　生成再配色には、あらかじめ用意された「サーモンの寿司」「砂石のビーチ」「ダークブルーの真夜中」「気分が上がるディスコナイト」「テラコッタ砂漠」「イエローサブマリン」「ラベンダーの嵐」「色あせたエメラルドの街」「海辺の夏」という9つのサンプルプロンプトがあります（今後増える可能性あり）。

　イメージしたい配色がこの中にある時は使用してみるといいでしょう。また、何も言葉が思いつかない時やとりあえず試してみたいという時に使ってみましょう。

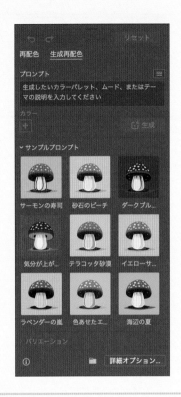

生成再配色を使う時のコツ

　生成再配色は、イメージ通りの配色にならないケースも多くあります。

　生成された配色のうち、1色だけ変更したい時など、細かい色のコントロールはできません。ある程度イメージに近づいた配色ができたら、細かい調整は自分で行うのがおすすめです。デザイナーにも得意な配色もあれば、色数値までぱっと思いつかない不得意な配色もあります。

　そのような不得意な分野の時に、この生成再配色を使って大枠のイメージまで近づけていくだけでも効果的でしょう。生成AIは臨機応変に使っていくのがコツです。

ベクターデータのイラストが作れた！

イラストが活きるデザインまで作れた！

送りたい商品が見つかる

MOTHER'S DAY

Thank You

感謝の気持ちを伝えよう

お母さまの喜ぶ顔を想いながらきれいなお花を選ぶ、癒しのひとときをお楽しみください。
母の日に、カーネーションや季節のお花を贈りませんか？

FLOWER SHOP

Prompt 薔薇の花とリボン ✦ 生成

テキストから
ベクター生成

ここに困った！
イラストがない！
イラストが必要だけど
描くのが難しい！

テキストから ベクター生成 を使って、薔薇のイラストを生成しよう

「**テキストからベクター生成**※」は、プロンプトを入力することで、ベクターデータのイラスト
をAIが生成してくれる機能です。

ここでは「テキストからベクター生成」の基本的な使い方を説明しながら、薔薇のイラストを
生成する方法を解説し、それをデザインに活用する方法を紹介します。

イラストを生成する理由

花屋さんで使う母の日のポスターをデザインします。

薔薇のイラストを使った、シンプルなデザインがクライアントの希望で
す。しかし、イラストを描くのは苦手で、素材を買う予算もありません。
Illustratorの「テキストからベクター生成」で生成することにします。

01 │ 簡単な図形を作成する

まずは新規ファイルを作成して、長方形の図形
を作成します 01 。

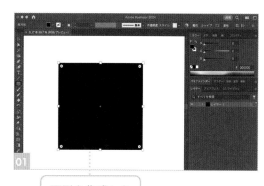

図形を作成した

Point

円や楕円でも構いません。また、オブジェクト
の色は生成するイラストに影響しないので何色
でも大丈夫です。

02 │「テキストからベクター生成」 を表示する

[選択ツール]で図形を選択すると、コンテキ
ストタスクバーに[生成]ボタンが表示される
のでクリックします 02 。

[生成]ボタンをクリック

Point

もしコンテキストタスクバーが表示されていない時
は、上のメニューの[ウィンドウ]→[コンテキスト
タスクバー]を選択すると表示することができます。

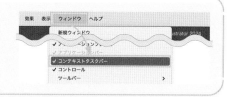

※「テキストからベクター生成」は、「Adobe Illustrator 2024 Ver.28.0」以降のバージョンで使用できる機能です。
2024年3月時点ではまだ試用段階であるBeta版ですが、既に商用利用することも可能になっています。

03 | 生成の種類の設定をする

「テキストからベクター生成」には次の4つの種類があります。

種類	生成されるイメージ	種類	生成されるイメージ
被写体	単体のイラスト	シーン	背景込みのイラスト
アイコン	アイコン風のイラスト	パターン	総柄、パターン

種類の変更は生成する際のコンテキストタスク
バーで変更することができます 03。
今回は［種類：被写体］とし、種類以外の設定
はデフォルトのままにしておきます。

04 | プロンプトを入力して生成する

プロンプトを入力します。今回は「薔薇の花と
リボン」と入力し、［生成］ボタンをクリック
しました 04。
たったこれだけで、何もないところから薔薇の
花とリボンのイラストを生成することができま
した 05。

「薔薇の花とリボン」と入力 ／ クリック

薔薇のイラスト
が生成できた

Point

生成したイラストはベクターデータなので、どんなに
拡大しても画質が悪くなることはありません。

拡大しても画質
が悪くならない

05 | バリエーションを選ぶ

パネルに3つのバリエーションが表示されるので、好きなバリエーションを選びましょう 。
今回は、2本のバラをリボンで束ねたイラストを選びました 07。

> **Point**
>
> 今回はイメージするイラストを生成するために、生成を3〜5回ほど繰り返しています。

さらに生成する
場合はここをク
リック

3つのバリエー
ション

06 | 生成したイラストを使ってデザインを作成する

生成したイラストを使って、花屋さんで使う母の日のポスターをデザインします。
本作例では、デザインの中央にイラストを配置しています。さらに紙のテクスチャーをのせ、デザインに紙の質感をプラスしました 08。
このようにイラストを描くのは苦手でも、「テキストからベクター生成」を使うことで簡単に自分で生成することができます。

紙のテクスチャーをのせた

COLUMN | コラム

生成したイラストをデザインに使う時に気を付けること①

「テキストからベクター生成」を使えば簡単にイラストを生成することができますが、ただ、細かいディティールや色味をコントロールすることは難しいでしょう。

ざっくりとイメージに近いイラストが生成できたら、後から細かいディティールや色味を手作業で調整するのがおすすめです。

今回のケースでは、不要なパスを削除してリボンの形を修正しています。

コンテキストタスクバーを使いたくない時

コンテキストタスクバーには生成AIに関する便利な機能がたくさん詰まっていますが、Illustratorでレイアウト作業をする時など、邪魔に思えることもあります。そのような時はコンテキストタスクバーを上のメニューの［ウィンドウ］→［コンテキストタスクバー］で非表示にしておいてもいいでしょう。

また、「テキストからベクター生成」を使用する時は、上のメニューの［ウィンドウ］→［テキストからベクター生成］を選択すると、「テキストからベクター生成」パネルが開くので、ここから生成することができます。

種類の変更の仕方

プロンプトの入力の仕方

クリック

種類が選べる

プロンプトの入力の場所

［生成］ボタン

テキストからベクター生成の詳細設定

テキストからベクター生成の詳細設定
をすることができます。「コンテキストタ
スクバー」を使用した場合は［ウィンドウ］
→［プロパティ］で出てくるプロパティ
パネルから設定できます（右の左画像）。
「テキストからベクター生成」を使用した
場合はそのパネルから、生成に関する詳
細な設定ができます（右の右画像）。

アートワーク	オンにすると、アートボード上の他のデータを参考に色味やスタイルを合わせてくれます。オフにすると、他のデータは無視して独立した色味やスタイルのデータを生成してくれます。
ピッカー	イラストのスタイルを学習させることができます。参考にしたいベクターデータ、または画像を読み込むことで、それに似たスタイルでイラストを生成することができます。詳しくはP.200で解説
ベクターグラフィックの詳細	ディテールの設定を「0〜5」で選ぶことができます。数値を大きくするとパスの数が多くなり、複雑なイラストが生成されます。

今後予想されるアップデート「ベクターを生成」

2024年5月現在、Illustratorのベータ版、
Illustrator（Beta）では「テキストからベ
クター生成」が「ベクターを生成」という機
能に切り替わっています。

UIも変わっており、スタイルの参照（現
ピッカー）に加え、「カラーとトーン」や「効
果」も指定することができます。利用のタイ
ミングによっては製品版も「ベクターを生
成」になっていることもあるでしょう。

テキストからベクター生成の様々な使い方とアイデア

アイデア次第で
様々なイラストが作れる！

Prompt
「コーヒー」

Prompt
「真上から見たコーヒー」

Prompt
「猫」

Prompt
「可愛い猫のキャラクター」

Prompt
「コーヒー　ラテアート」

Prompt
「アイスコーヒー」

Prompt
「ジャンプした黒猫」

Prompt
「猫の顔」

Prompt
「りんご」

Prompt
「りんご　2個」

Prompt
「女性」

Prompt
「女性の横顔」

Prompt
「半分にカットしたりんご」

Prompt
「カゴに入ったりんご」

Prompt
「女性のポップなキャラクター」

Prompt
「ランニングしている女性」

デザインのアレンジ見本

デザイナーのアレンジ次第で
様々なデザインが作れる！

▶ **Prompt**「薔薇の花とリボン」

また違った花とリボン！

▶ **Prompt**「薔薇の花」

一輪の花のデザイン！

▶ **Prompt**「ラッピングされた薔薇
の花束」

花束を贈るイメージにしたデザイン！

▶ **Prompt**「黄色い薔薇の花とリボン」

他の色の花束のデザイン！

イラストのテイストを合わせたデザインが作れた！

ピッカー

参照画像

統一感がある
イラストが作れた！

ここに困った！
イラストのテイスト
が合わない！
デザインの統一感が出せない！

ピッカー を使って、野菜の水彩イラストを生成しよう

「ピッカー」を使用すると、生成するイラストのテイストを他の画像やベクターデータから参照して作ることができます。

ここでは「ピッカー」の基本的な使い方を説明しながら、統一感のある野菜のイラストを複数生成して、それをデザインに活用する方法を紹介します。

イラストを生成する理由

飲食店の「サラダのメニュー表」のデザインを作成します。水彩タッチの野菜のイラストをデザインに使いたいと考えます。

色々な種類の野菜をちりばめたいのですが、同じテイストのイラスト素材がなかなか見つかりません。

そこで「ピッカー」を使って、テイストを合わせた野菜のイラストを自分で生成することにします。

01 │ 参照したい画像を配置する

まずはIllustratorで新規ファイルを作成して、参照にしたい画像を配置します。色味や構図も参照になるので、できるだけ近いイメージの画像を探しましょう。なお、ここで使用している参照画像はCHAPTER 6で解説しているFireflyで生成した画像を使用しています **01**。

画像を配置

Point

配置する画像は画像データでもベクターデータでも大丈夫です。

今回は合計10種類のイラストを生成します。また、「赤系の野菜 **02**」と「緑系の野菜 **03**」に分けて2種類の参照画像を使用します。

「赤系の野菜」
トマト、ニンジン、
玉ねぎ、パプリカ、
ラディッシュの参照

「緑系の野菜」
キャベツ、レタス、
バジル、ブロッコリー、
パクチーの参照

この節で使用している画像のFireflyでの制作シーン。詳しくはP.230を参照してください。

Prompt「水彩画　トマト」　　　　　　　Prompt「水彩画　キャベツ」

02 | 簡単な図形を作成する

Illustratorのアートボード上に生成したいイラストの数だけオブジェクトを作成します。
ここでは赤系の野菜の右に5つ、緑系の野菜の右に5つのオブジェクトを用意しました 04 。

03 | ピッカーを選択する

まずはトマトのイラストを生成します。[ダイレクト選択ツール]でオブジェクトを1つ選択し、コンテキストタスクバーから[生成]ボタンをクリックします 05 。
生成の種類を[被写体]にして、中心よりやや右側にある[参照スタイルを使用してベクターを生成]のボタンを選択し[ピッカー]を選択します 06 。[ピッカー]の左にある[アートワーク]は右ページ下段の脚注を参照してください。

オブジェクトを5つ用意

オブジェクトを5つ用意

選択

クリック

[被写体]　クリック
※

テキストからベクター生成パネルの場合も[ピッカー]の部分をクリックしてください。なお、こういった生成AIに関する機能は、今実装しはじめている最中であり、今後アプリケーションのバージョンによってはインターフェースが変更になることもあります。

04 | 参照画像を設定する

カーソルがスポイトに切り替わるので、参照し
たい画像をスポイトでクリックします 07。

参照したい画
像をクリック

07

05 | イラストを生成する

「トマト」と入力 クリック

この状態でプロンプトに「トマト」と入力して
[生成] ボタンをクリックします 08。
これだけで参照画像に似たテイストの、トマト
のイラストを生成することができました。パネ
ルに3つのバリエーションが表示されるので、
好きなバリエーションを選びましょう 09。
今回は、複数回生成した中できれいな形が表現
できた 10 のトマトを使用します。
同じ要領で、赤色系の残りの4つのオブジェク
トにニンジン、玉ねぎ、パプリカ、ラディッシュ
を生成します 11。

10

3つのバリエー
ション

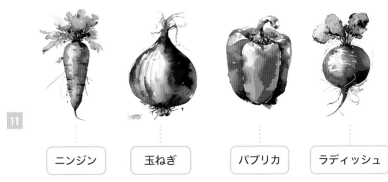

11

ニンジン 玉ねぎ パプリカ ラディッシュ

※アートワーク … アートワークを選択すると、アートボード上にある別のデータに合わせたイラストが生成されます。

06 | 緑色系の野菜を生成する

今度は参照画像を緑色系の野菜に変えて、緑色系の野菜のイラストを生成します 。

キャベツ、レタス、バジル、ブロッコリー、パクチーの緑色系の5つのイラストを生成します 13 。

参照画像

12

13

| キャベツ | レタス | バジル | ブロッコリー | パクチー |

Point

参照画像と同じキャベツをあえて作り直すことで、その他の緑系の野菜とテイストを揃えています。前ページの赤系の野菜のトマトも同様の考え方になります。

---

07 | 生成したイラストを使ってデザインを作成する

この生成したイラストを使って、飲食店の「サラダのメニュー表」のデザインを作成します。本作例では、一目見てサラダメニューとわかるようにイラストを万遍なく使用しています 。テイストを統一したイラストを大量に作ったり探したりするのは大変ですが、ピッカーを使うことで簡単に自分で生成することができます。

14

COLUMN | コラム

ピッカーを使う時に気を付けること

参照する画像は同じモチーフでなくても可能ですが、色味や構図がある程度似たものにするといいでしょう。そうしないと思い通りの生成ができないことがあります。

緑系のイラスト画像を参照し、トマトを生成した結果

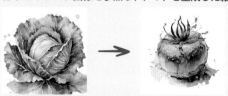

スタイルを参照してイラストを生成する様々な見本例

▶ 柔らかな印象のイラスト

▶ シンプルで抜けがよいイラスト

▶ 線が太いがっしりとしたイラスト

▶ 劇画調のイラスト

▶ 奇抜なアート風イラスト

▶ ドット絵

▶ フルーツイラストを使ったデザイン例

生成画像　　　　　　　　　　　　　　　　デザインに落とし込み

5-4 風景のイラストを生成しよう

理想の散歩コースが見つかる！

Take a walk

01
TAKE FREE
8月号
散歩に出かけよう！

季節の移り変わりを感じる！
都会の喧騒を忘れ、
穏やかな風景と心地よい散歩、心身ともにリフレッシュ

風景のイラストを生成できた！

フリーペーパーの表紙のデザインを作れた！

Prompt　散歩する女性　公園の風景　青空　生成

ベクター生成

ここに困った！
風景のイラストが欲しい！
でも描くスキルも外注する予算もない！

「シーン」を使って、風景のイラストを生成しよう

テキストからベクター生成の種類を「**シーン**」に設定すると、風景など背景込みのイラストを生成することができます。ここでは、「公園を散歩する女性」のイラストを生成して、それをデザインに活用する方法を紹介します。

Check イラストを生成する理由

散歩コースを紹介するフリーペーパーの表紙をデザインします。全面にイラストを使ったデザインにしたいのですが、イラストを描くスキルや外注する予算、時間がありません。

そこで、テキストからベクター生成の「シーン」を使って、自分で生成することにします。

01 | 簡単な図形を作成する

まずはIllustratorで新規ファイルを作成して、想定される大きさの長方形の図形を作成します 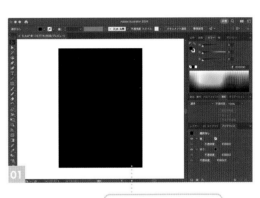。

Point

ここではA4サイズ「幅210mm × 高さ297mm」の図形を作成しています。この図形が「イラストのサイズ」になります。使用したいサイズの図形を作成しましょう。

クリック

長方形の図形を作成

02 | シーンにして入力する

選択ツールで図形を選択すると、コンテキストタスクバーに［生成］ボタンが表示されるのでクリックします 。

生成の種類を［シーン］にして、プロンプトを入力します。今回はプロンプトに「散歩する女性　公園の風景　青空」と入力して、［生成］ボタンをクリックします 03。

［生成］をクリック

「散歩する女性　公園の風景　青空」と入力

シーン

Point

参考にしたいテイストがある場合は「ピッカー」で読み込みましょう。P.200を参照。

03 | バリエーションを選ぶ

これだけで、女性が公園を散歩しているイラストを生成することができました 。

パネルに3つのバリエーションが表示されるので、好きなバリエーションを選びましょう 05。

> **Point**
>
> 目指したいイラストを生成するために、ここでは生成を5〜8回ほど繰り返しています。

よいイラストが見つからなければ［生成］を繰り返してください

3つのバリエーション

今回は、上部にタイトルが配置しやすいイラストを選びました。生成AIでイラストを用意することになっても完成形のデザインを考えて進めていくことが大事になります 06。

上部にタイトルが配置しやすいイラストを選んだ

04 | 生成したイラストを使って デザインを作成する

この生成したイラストを使って、フリーペーパーの表紙をデザインします。

本作例では背景にイラストを配置して、その上からタイトルや見出しの文字情報を配置しました。

タイトルの文字が読みやすいように、生成したイラストは雲を削除したり形を整えたりして、後から手作業で調整しています。デザイナーが普段から利用しているIllustratorですぐに調整できるのがベクター生成の大きな利点です。

テキストからベクター生成の「シーン」を使うことで、簡単に風景のイラストを生成し、デザインまでまとめることができました **07**。

雲を削除した

COLUMN | コラム

生成したイラストをデザインに使う時に気を付けること②

　生成したイラストは、そのままデザインに使えるケースもありますが、細部のディテールなどが、どうしても不自然になってしまうこともあります。特に人物や動物を生成する時は注意が必要です。今回のケースでは、女性が持っているバッグの紐が生成されなかったので後から付け足しています。

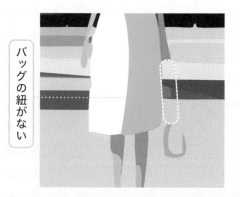

バッグの紐がない

後から付け足した

風景のイラストを生成した様々な見本例

▶ **Prompt**「雪山　夕方」

◀ 山の風景も作れる！▶

▶ **Prompt**「チューリップ畑」

◀ 畑の風景も作れる！▶

▶ **Prompt**「窓から見た海」

◀ 具体的なシーンまで指示できる！▶

▶ **Prompt**「スカイダイビング」

◀ 単語からシーンを出してくれる！▶

風景のイラストを使ったデザイン例

▶ **Prompt**「散歩する女性 公園の風景 夜」

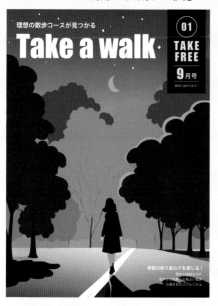

◤ 絵に時間帯も入れ込める！ ◢

▶ **Prompt**「散歩する女性 公園の風景 雪」

◤ 季節を感じるイラストも！ ◢

▶ **Prompt**「散歩する女性と犬 公園の風景 青空」

◤ 絵にちょっとした ストーリーも入れ込める！ ◢

▶ **Prompt**「散歩する女性 公園の風景 桜」

◤ 「桜」のような 具体的なものも入れ込める！ ◢

背景にパターンを使うデザインが作れた！

PREMIUM
COUPON
春の割引クーポン

30%OFF
4/1 (SUN) ~ 4/30 (SUN)

春を感じる
パターンが作れた！

パターン

Prompt 花柄　ピンク　春　　　生成

ここに困った！
パターンが欲しい！
しかも4シーズン使える
テンプレートにもしたい！

パターン を使って、花柄を生成しよう

テキストからベクター生成の種類を「**パターン**」にすると、パターンを作る際に使える**リピートできる**ベクターデータを生成することができます。ここでは、花柄のパターンを生成して、それをデザインに活用する方法を紹介します。

パターンを生成する理由

割引クーポンのデジタル画像をデザインします。

季節ごとに背景のパターンを変えて、春、夏、秋、冬の4シーズンで使えるテンプレートにしようと考えています。

まずは春のデザインから作成しようと春を感じるピンクの花柄を探したのですが、ちょうどいい素材が見つかりません。また、4シーズン分のパターンを見つけるのも大変です。

そこで、テキストからベクター生成の「パターン」を使って、自分で生成することにします。

01 簡単な図形を作成する

まずは新規ファイルを作成して、長方形の図形を作成します 01 。このサイズがパターンのサイズになります。想定される大きさを作成しましょう。

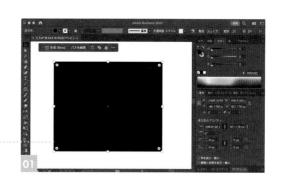

図形を作成

02 イラストを生成する

[選択] ツールで図形を選択すると、コンテキストタスクバーに [生成] ボタンが表示されるのでクリックします 02 。

クリック

生成の種類を [パターン] にして、プロンプトを入力します。今回は「花柄　ピンク　春」と入力して、[生成] ボタンをクリックします 03 。

[生成] をクリック

「花柄　ピンク　春」と入力

パターン

03 ｜ バリエーションを選択する

これだけで、春らしいピンクの花柄を生成する
ことができました 04 。
パネルに3つのバリエーションが表示されるの
で、好きなバリエーションを選びましょう 05 。

なお、生成したパターンは［ウィンドウ］→［ス
ウォッチ］で表示されるスウォッチパネルに自
動的に追加されます 06 。
また、図形は引き伸ばしても繰り返す特性を持
ちます 07 。
今回は淡いパステル調の花柄を選びました 08 。

Point

イメージするパターンを生成するために、生
成を3～5回ほど繰り返しています。

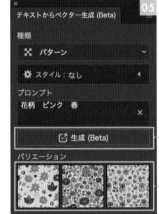

追加で生成す
る時はここを
クリック

3つのバリエー
ション

引き伸ばしても繰り返す

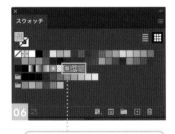

スウォッチに追加される

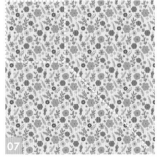

04 | 生成したパターンを使って デザインを作成する

この生成したパターンを使って、割引クーポンのデジタル画像をデザインします。
本作例では背景にパターンを配置して、その上に白い図形と文字情報を配置しました 09。
テキストからベクター生成の「パターン」を使うことで、背景に使える花柄を簡単に生成することができました。

背景に利用

パターンをデザインに使用する時に気を付けること

パターンをデザインに使用する時、図柄の位置やサイズを調整したいことがありますが図形を引き伸ばすだけでは図が繰り返すだけです。上のメニューから［オブジェクト］→［変形］→［拡大・縮小］を選択して、［オブジェクトの変形］のチェックを外し、［パターンの変形］にチェックを入れ、％を調整し拡大・縮小しましょう。これでパターンの位置が変わり拡大・縮小されます。

チェックを外す

チェックを入れる

図柄を移動したい時は、ツールパネルの［ダイレクト選択］▶ に切り替えてから、キーボードの右上辺りにある⌐のキーを押しながらドラッグすると動かせます。

⌐キーを押しながらドラッグ

中の図柄だけが移動する

パターンを生成の様々な見本例

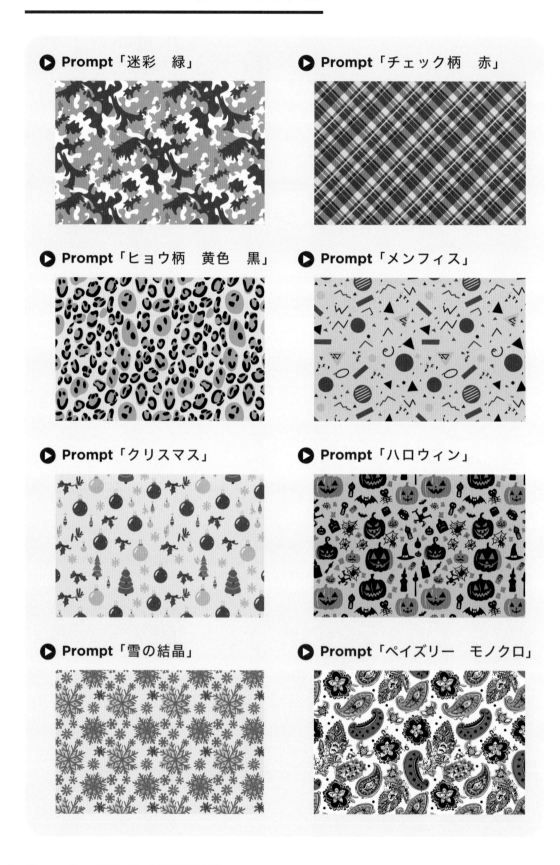

▶ Prompt「迷彩　緑」

▶ Prompt「チェック柄　赤」

▶ Prompt「ヒョウ柄　黄色　黒」

▶ Prompt「メンフィス」

▶ Prompt「クリスマス」

▶ Prompt「ハロウィン」

▶ Prompt「雪の結晶」

▶ Prompt「ペイズリー　モノクロ」

風景のイラストを使ったデザイン例

▶ **Prompt**「花柄　ピンク　春」

▷ 春の花びらを感じるパターン ◁
春の別パターン

▶ **Prompt**「花柄　ひまわり　夏」

▷ ひまわりを背景に ◁
夏の花柄を感じるパターン！

▶ **Prompt**「花柄　紅葉　秋」

▷ 秋の落ち着いた ◁
色合いのパターン！

▶ **Prompt**「花柄　青　冬」

▷ 冬の冷たさを ◁
連想するパターン

Ai 5-6 モックアップを作成しよう

Tシャツの形状に合ったモックアップが作れた！

モックアップ

ここに困った！
モックアップが作りたい！
Illustratorだけで
サッと作りたい！

モックアップ を使って、デザインをTシャツに合成しよう

「**モックアップ**※」とは、画像の形状に合わせてベクターアートを自動で変形してくれる機能です。

Tシャツやボトル、ダンボールなど、形がわかりやすい画像に作成したベクターアートを自然に合成することができます。

ここではIllustratorで作成したベクターデータのデザインを女性のTシャツに合成する方法を紹介します。

Check

モックアップを使用する理由

Tシャツにプリントするデザインを作成します。

平面のデザインだけではクライアントにイメージを伝えづらいので、女性のTシャツの画像にデザインを合成することにします。

そして、できればPhotoshopを使わずに、Illustratorだけでサッと簡単に確認し完結させたい思いがあります。

そこで、「モックアップ」の機能を使って、女性のTシャツの画像にデザインを合成することにします。

01 | ベクターデータと画像を用意する

まずはファイルに、合成したい「ベクターデータ※」と「画像データ」の2つを用意します **01**。

> **Point**
> ベクターデータはすべてグループ化しておきましょう。

ベクターデータ　画像データ

02 | モックアップのパネルを開く

ベクターデータと画像を選択した状態で、上のメニューから［ウィンドウ］→［モックアップ（Beta）］を選択します **02**。

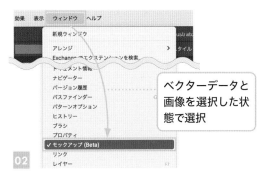

ベクターデータと画像を選択した状態で選択

※モックアップ…2024年4月現在この機能はまだベータ機能ですが、通常のイラストレーターで使用することができます。
※ベクターデータ…拡大しても粗くならない数値と計算式によって記述されたデータ。Illustratorで作成するデータはベクターデータになる。

03 ｜ モックアップを実行する

モックアップのパネルが表示されるので、2つ
を選択した状態で［モックアップ］ボタンをク
リックします 。

ベクターデータを画像に重ねると、画像の形状
に合わせて自動で変形します。

また、上下左右に4つのポイントが表示されま
す。このポイントをドラッグすると、ベクター
データのサイズや形を調整できます 04 05。

ベクターデータの位置を調整すると、画像の形
状（ここでは人の形）に合わせて変形してくれ
ます 06 07。

なお、この変形は、元のベクターアートを記憶
したまま非破壊で行われます。

もし解除したい場合は、上のオプションバーか
ら［解除］のボタンを押すと解除することがで
きます 08。

ベクターデータ
の形が変わる。
ここでは人の横
面の形に沿って
変形した

ベクターデータ
の形が変わる。
ここでは人の正
面の形に沿って
変形した

［解除］したい
時はクリック

04 | デザインをなじませる

配置したベクターアートをなじませたい時は、透明パネルから「描画モード」を変更しましょう。今回は［乗算］にしてなじませています。

Point

透明パネルは上のメニューの［ウインドウ］→［透明］から表示させることができます。

これで、Tシャツのデザインのモックアップの完成です。

モックアップの制作例

▶ 箱

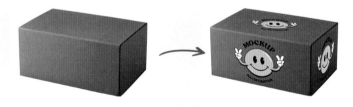

▶ ボトル

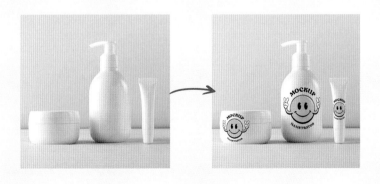

モックアップのパネル

もしモックアップの元にし
たい画像がない場合は、モッ
プアップのパネルにあるメ
ニューから、サンプルを表示
し、場合によっては編集、購
入まで一貫して作業すること
ができます。

[カンバス上で編集] ボタン
でサンプルを編集することが
でき、[ライセンスを購入] で
素材画像（有料）を購入する
ことができます。

メニュー	内容
アパレル	帽子や服など、アパレルに関するモックアップを作りたい時に使える
ブランディンググラフィック	封筒やポスター、キーホルダーなどブランディングで使える
デジタルデバイス	スマートフォンやテレビ、パソコン、タブレットなどで使える
パッケージ	箱やカップなどで使える

[カンバス上で編集] ボタン

Adobe Stock のクレジット
（未購入でもモックアップま
で見られる）

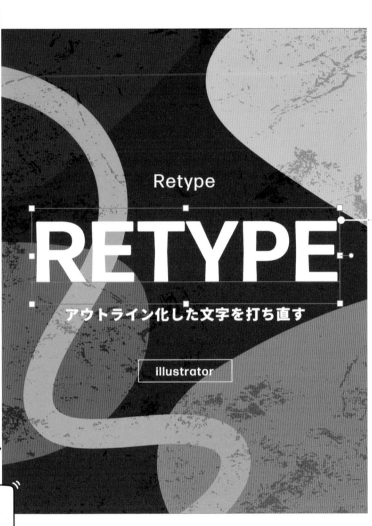

アウトライン化された文字をテキストに戻し編集できた！

Retype

……… アウトライン化されたデータ

ここに困った！

文字が修正できない！

アウトライン化したデータを
テキストデータに戻したい！

Retype を使ってアウトライン化された文字を編集可能なテキストに戻そう

「**Retype**※」は、アウトライン化された文字や画像内の文字を、何のフォントか識別してくれる機能です。フォントの種類を調べたり、文字を編集可能なテキストデータに戻して修正することができます。ここではアウトライン化された文字をテキストデータに戻して、デザインの文言を修正する方法を紹介します。

Retypeを使用する理由

クライアントから渡されたデザインのデータの文言を修正します。

しかし、テキストデータはすべてアウトライン化された状態で、何のフォントを使用しているかわかりませんでした。

そこで「Retype」を使って、似たフォントの種類でテキストデータに戻してから作業することにします。

01 | 修正したいファイルと Retypeのパネルを開く

まずは修正したいファイル開きます 01。
テキストはアウトライン化された状態です 02。

上のメニューから［ウィンドウ］→［Retype (Beta)］を選択し 03、Retypeパネルを開きます 04。

アウトライン化されている

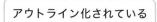

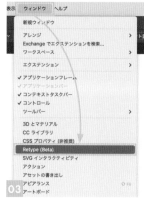

※2024年4月現在この機能はまだベータ機能ですが、通常のIllustratorで使用することができます。

02 | 編集可能なテキストデータに戻す

編集したいベクターデータを選択すると、[マッチフォント]と[テキストを編集]の2つのボタンを選択することができます。

今回は[テキストを編集]を選択します 05。

05 選択

マッチフォント
テキストを編集

> **Point**
>
> 「マッチフォント」は、同じフォントまたは似ているフォントの種類を調べる際に使う機能です。

編集したいアウトライン化された文字をクリックで選択します 06。

選択した文字との一致度の高いフォントが順に表示されています 07。

06

編集したい
文字を選択

選択した文字

一致度の高いフォント

> **Point**
>
> 自分がパソコンにインストールしているフォントとAdobe Fontsが表示されます。類似性が高いフォントが表示されるので、完全一致ではないケースがあります。

使用したいフォントを選択して、適用のボタンをクリックします 08。

選択

> **Point**
>
> アクティブにしていないAdobe Fontsを選んだ場合は、自動的にアクティブになります。

適用をクリック

07

08

[終了]ボタンを押すと、選んだフォントでテキストデータに戻ります 09。

09 適用　　終了

03 | テキストを編集する

これでテキストデータに戻すことができたので、文言を修正することができます 。

「AUTUMN」を「RETYPE」に修正しました 。

テキストに戻せた　　文字を修正できた

04 | Retype機能の補足

Retypeは1枚の画像データでも使用することができます 12 13。
この際文字が重なっていた後ろの画像部分は、AIが予測して自動で生成してくれます 14。

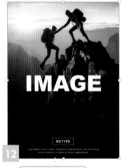

1枚の画像　　テキストデータに

文字が重なっていた部分をAIが生成

COLUMN | コラム

Retype機能の注意点

Retypeは、2024年4月現在「日本語」で使用することができません。今後のアップデートで使えるようになると思われます。

日本語だと使えない

CHAPTER

6
—

最新の生成 AI（Firefly）

Fireflyの Web アプリを使えば、思い描いた画像を言葉の指示とタ
グの設定だけで簡単に生成できます。

これにより、これまで写真を撮影したり購入したり、外注や素材サ
イトでイラスト素材をダウンロードしていた手間とコストが省け、
自分で簡単に素材を作成できるようになります。

この章では、Fireflyの基本的な操作方法や、使用する際のコツと注
意点を具体的に学んでいきます。

Photoshop & Illustrator & Firefly
An Introductory Guide to Generative AI Design

▲ 6-1 Fireflyでできること

「Firefly」のwebアプリの基本機能

Fireflyには「Webブラウザから利用できるWebアプリ」と「PhotoshopやIllustratorなどに組み込まれ機能として使えるアプリ」の2種類があります。

PhotoshopやIllustratorに組み込まれている機能については、前章までで紹介してきました。ただ、実はPhotoshop、IllustratorのFireflyの機能はFireflyで検証を得た上で搭載されていった一部の機能であり、**WebアプリのFireflyにはこれ以上に様々な機能があります。**

この章ではWebアプリのFireflyを紹介していきます。

Fireflyのホームページ
https://firefly.adobe.com/?ff_channel=adobe_com&ff_campaign=ffly_homepage&ff_source=firefly_seo

テキストから画像生成

「プロンプト（Prompt）」と呼ばれる指示を入力することで、オリジナルの画像を生成できる機能です。

効果のタグや参照画像を使って、スタイルを指定することもできます。

> **Point**
>
> この章では、FireflyのWebアプリで一番使える**「テキストから画像生成」**について詳しく解説していきます。

テキストから画像生成
詳細な説明から画像を生成したり、参照画像でスタイルをガイドしたりできます。

生成

生成塗りつぶし

ブラシを使用してオブジェクトを削除したり、プロンプトを入力することで新しいオブジェクトを生成することができる機能です。

> **Point**
>
> 生成塗りつぶしはPhotoshopにも似た機能が搭載されています。

生成塗りつぶし
ブラシを使用してオブジェクトを削除したり、新しいオブジェクトをペイントしたりします。

生成

COLUMN | コラム

Adobe Expressで使える機能

Adobe Expressとは、誰でも簡単に魅力的なコンテンツを作成できるデザインのWebアプリです。Adobe Express内だけで使える生成機能が2つあるのでご紹介します。

Adobe Express … https://www.adobe.com/jp/express/

テンプレートを生成

テキストで指示することで、編集可能なテンプレートデータを生成できる機能です。

テンプレートを生成
内容を詳細に説明するテキストから編集可能なテンプレートを生成します。

Adobe Express で試す

テキスト効果

プロンプトを使用して、文字を装飾することができる機能です。

テキスト効果
テキストプロンプトを使用してスタイルやテクスチャをテキストに適用します。

Adobe Express で試す

COLUMN | コラム

近日公開　Fireflyの新機能（音声と動画）

Fireflyに、音声と動画を生成＆編集できる機能が追加される予定です。
動画編集アプリ「Premiere Pro」にも生成AIが搭載される予定で、動画内のオブジェクトを選択してプロンプト入力するだけで、不要なアイテムの削除や人物の衣装を変更したりすることができるようになります。

近日公開予定
生成 AI の音声と動画
Firefly で音声と動画コンテンツを編集します。

⬛ 6-2 「テキストから画像生成」の使い方

Fireflyの「テキストから画像生成」の基本操作を学ぼう

「テキストから画像生成」は、人物画像や風景画像、キャラクターやイラストなど、様々な画像素材を生成することができる機能です。

ここではFireflyを使いながら生成の手順やポイント、注意点をざっくりと解説していきます。

01 | アプリにアクセスしてログインする

まずは「https://firefly.adobe.com/」にアクセスし、FireflyのWebアプリにアクセスしましょう。Fireflyのページが開いたら右上の［ログイン］をクリックします。

ログインボタンをクリック ┈┈┈▶ ［ログイン］

https://firefly.adobe.com/

Point

FireflyはWebブラウザの検索から「firefly」と検索して探すこともできます。

Fireflyを使用するにはAdobe IDのアカウントにログインする必要があります。ただ、本書の読者のようにPhotoshopやIllustratorを利用している人はもともと使用しているアカウントがありますので、同じアカウントを利用するといいでしょう。

ここでは「メールアドレスでログイン」から［ログイン］をクリックし、メールアドレスを入力して［続行］、パスワードを入力して［続行］をクリックしてログインしました。

メールアドレスを入力

パスワードを入力

Generative AI

ログイン後、ページを少し下にスクロールすると［テキストから画像生成］のボタンがあるのでクリックしましょう。「テキストから画像生成」の画面に変わります。

［テキストから画像生成］のボタン

02 | 画像を生成する

プロンプト入力欄に、生成したい画像の説明を入力して［生成］ボタンをクリックします。

［生成］ボタンをクリック

「赤いチューリップの写真」と入力

これだけでプロンプトで指示した画像が４つ
生成されます。

03 | 生成した画像を 理想のイメージに近づける

画面左のメニューから、画像の「縦横比」や「スタイル」など、さらに細かい設定をすることができます。

左のメニューから
細かい設定ができる

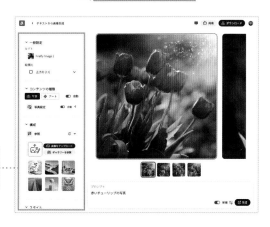

縦横比

画像の縦横比を選ぶことができます。［横（4：3）］［縦（3：4）］［正方形（1：1）］［ワイドスクリーン（16：9）］の項目があります。

コンテンツの種類

リアルな写真表現か、イラストや絵画のようなアート表現か、どちらかを選ぶことができます。［写真］［アート］の項目があります。

Point

写真の場合、絞りやシャッタースピードなど、さらに細かい設定ができます。

▼例
写真　　　　　　　　　アート

構成

「構成」は「構図」を指定する設定と考えればわかりやすいでしょう。

参照したい構成の画像は自分でアップロードするか、あらかじめ用意されたギャラリーの中から選択するか選ぶことができます。

参照したい構成の画像と、その適用度を指定することができます。

［画像をアップロード］［ギャラリーを参照］の項目があります。

自分でアップロードする

ギャラリーの中から選ぶことができる

▼例
ギャラリーの参照画像　　　　　　　　　　　生成画像
線画

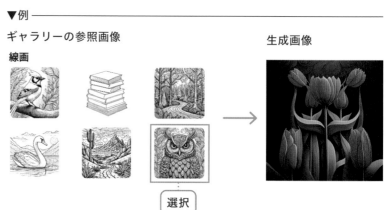

選択

スタイル

参照したいスタイルと、その適用度を指定することができます。[参照] [効果] の項目があり、参照にはさらに「画像をアップロード」「ギャラリーを参照」の項目があります。

Point

「参照」は自分で画像をアップロードするか、ギャラリーを参照するか選択することができます。

[画像をアップロード] [ギャラリーを参照] の項目がある

参照

効果

Point

「効果」は、上の [タグ] からジャンルを選択して、参照したい [種類] を選択します。
トーンやライト、カメラアングルの指定もここから行えます。

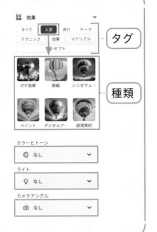

タグ

種類

▼例

コミックブック　　　生成画像

テーマ　テーマのタグ

Point

生成した画像にマウスカーソルを乗せると、左上に [編集] ボタンが表示されます。この [編集] をクリックすると [類似の項目を生成] [構成参照として使用] [スタイル参照として使用] といったように、この画像を元とした類似画像を生成したり、構成やスタイルの参照に使ったりすることができます。

編集

マウスカーソルを乗せる

04 | 生成した画像を保存する

生成した画像をダウンロードするには、画像にマウスカーソルをのせた時に右上に出る［ダウンロード］ボタンをクリックします。画像はjpg形式で保存されます。

右下の［☆］のアイコンからはお気に入りに保存することもできます。その左側のアイコンからはリンクを作成したり画像をコピーすることもできます。

お気に入りに登録した画像は、FireflyのTOPページのメニュー［お気に入り］から確認することができます。

画像を生成したページの右上にある［すべてをダウンロード］からは、生成した4枚の画像を一気にダウンロードすることもできます。

［ダウンロード］ボタン

リンクを作成など

お気に入りに保存

お気に入り

4枚の画像をダウンロード

> **Point**
>
> 生成した画像の履歴は保存しないと残りません。必要な画像はダウンロードやお気に入り保存を忘れないようにしましょう。

COLUMN | コラム

Fireflyの「テキストから画像生成」

P.152の「砂浜に文字を描こう」では元画像のアングルが大事と伝えましたが、狙い通りの写真が見つからないこともあります。そのような時は、Fireflyの「テキストから画像生成」を使って自身で生成することもできます。

Fireflyなら真上から見た砂浜も作成することができる。

COLUMN | コラム

Fireflyのギャラリーからインスピレーションを得よう

「どんなプロンプトや設定でどんな画像が生成されるかわからない」とお困りの方には、Fireflyの「テキストから画像生成」ギャラリーを閲覧することをおすすめします。

このページにアクセスすると、他のユーザーが以前に生成した画像のギャラリーが表示されます。スクロールをすると、多くの生成画像作品が見られるため、どのようなテキストや設定でその画像を生成しているか見ることができます。

気になる画像をクリックすると、その画像の詳細画面に移る。

プロンプトやスタイルの設定を確認することができる。

画像にはコンテンツ認証※のマークがついており、そのままダウンロードすることはできません。

このプロンプトや設定を参考に自分で生成してみると、画像生成のコツが掴めて勉強になる

※コンテンツ認証 … その画像を誰がどのように作成して、それがどのように変更されたかを追跡し、確認できる技術。これにより、コンテンツの真正性や信頼性を保証することができる。

生成モール

中華料理
フェア
6/1 SAT ~ 6/30 SAT

人気店が
集結

絶品中華

デザインまで作れた！

パンダの
キャラクターができた！

テキストから
画像生成

ここに困った！
キャラクターを
入れたい！

でも作れない！
予算も時間もない！

Generative AI

[テキストから画像生成] を使ってキャラクターを作る方法

「**テキストから画像生成**」は、プロンプトやスタイルのタグを指定することで、思い描くオリジナルのキャラクターを生成することができます。

ここでは3Dのパンダのキャラクターを生成して、それをデザインに活用する方法を紹介します。

Check

キャラクターを生成する理由

中華料理フェアのポスターをデザインします。

子供たちにも興味を持ってもらいたいので、デザインにパンダのキャラクターを使用することにしました。

しかしキャラクターを自身では作ることができず、また制作を外注する予算も時間もないので、Fireflyを使ってオリジナルのパンダのキャラクターを生成することにします。

01 | 「テキストから画像生成」の画面を開く

01

まずはFireflyで「テキストから画像生成」の画面を開きます 01。

Point

FireflyのWebアプリのURLや使い方、「テキストから画像生成」の開き方はP.230参照。

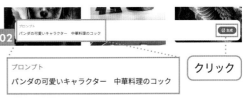
02

プロンプト
パンダの可愛いキャラクター　中華料理のコック

クリック

02 | 画像を生成する

プロンプト入力欄に、「パンダの可愛いキャラクター　中華料理のコック」と入力して［生成］ボタンをクリックします 02。

4つのパンダのキャラクター画像が生成されました 03。

03

03 ｜ 理想のイメージに近づける

今回は子供が見ても可愛いと思ってもらえる
キャラクターにしたいと考えているため、ここ
から理想に近づけていきます。

3Dの表現を足し、可愛いキャラクターになる
ようにします。3Dの表現は画面左のメニュー
から設定を行います。［スタイル］→［効果］
を選択し、効果の項目から［すべて］のタグを
選択します 04 。

下にスクロールして、［テーマ］にある［3D］
を選択します 05 。選択すると右上にチェック
マークが入ります。

プロンプト入力欄に「3D」のタグが追加され
たのを確認し、［生成］ボタンをクリックしま
す 06 。

これで、3D表現のパンダのキャラクターが生
成できました 07 。

3Dになった

もし、理想のキャラクターが生成されない場合は、複数回生成を行いましょう。今回は理想のキャラクターができるまで、生成を3回繰り返しました 。

理想のイメージになるまで生成を繰り返す

背景を切り抜いた

04 | 生成したキャラクターを使ってデザインを作成する

この生成したキャラクターを使って、中華料理フェアのポスターをデザインします。
本作例では、画像の背景を切り抜いています 。タイトルの下に目立つように配置しました **10**。

キャラクターを作るのは難易度が高いですが、「テキストから画像生成」を使うことで簡単に自分で生成することができました。

タイトル下に目立つように配置

様々なタグの使い方とアイデア

▶ アニメのタグ

▶ カートゥーンのタグ

▶ コミックブックのタグ

▶ デジタルアートのタグ

▶ 水彩のタグ

▶ サイケデリックな背景のタグ

デザインのアレンジ見本

▶「双子のパンダの可愛いキャラ
　クター　中華料理のコック」

2人のシーンが作れる！

▶「餃子を作る可愛い女の子のキャ
　ラクター　チャイナドレス」

女の子のキャラクターも作れる！

▶「可愛い男性のキャラクター
　中華料理のコック　調理場」

男の子のキャラクターも作れる！

▶「可愛いトラのキャラクター
　笑顔　中華料理のコック」

トラのキャラクターも作れる！

▲ 6-4 人物モデルを生成しよう

デザインまで作れた！

個別指導　高 1.2.3 ／ 中 1.2.3

夏期講習

一人ひとりに合わせた最適な指導

生成AIゼミ　受講生受付開始 !!

夏に成績を伸ばす !!

テキストから
画像生成

人物を生成できた！

ここに困った！

人物の写真がない！

撮影する時間がない。
許諾が得られない！

テキストから画像生成 を使って、架空の人物を生成する方法

「テキストから画像生成」は、とてもリアルな架空の人物を生成することができます。
ここでは17歳の女子学生を生成して、それをデザインに活用する方法を紹介します。

Check

架空の人物モデルを生成する理由

学習塾の夏期講習のバナーデザインを作成します。
女の子の写真を使ったデザインにしたいのですが、協力してくれる生徒が見つかりません。
ちょうどいい素材写真も見つからないので、Fireflyを使って架空の女子学生を生成することにします。

01 | 「テキストから画像生成」の画面を開く

まずはFireflyで「テキストから画像生成」の画面を開きます **01**。テキストから画像生成の画面の開き方はP.230を参照してください。

02 | 画像を生成する

プロンプト入力欄に、「日本の若い女性　17歳　笑顔　白い背景　高校生　制服」と入力して［生成］ボタンをクリックします **02**。
4人の架空の人物画像が生成されました **03**。拡大してもとてもリアルに見えます **04**。

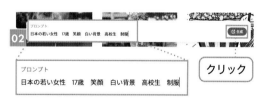

クリック

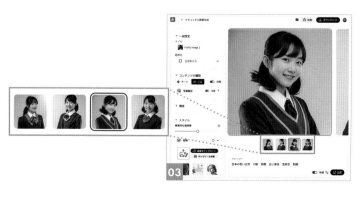

03 | 理想のイメージに近づける

今回は縦長の画像にしたいので、[一般設定]
の縦横比を「縦 (3：4)」にします 05。

[コンテンツの種類]を[写真]にしておきま
す06。

Point

もし、顔や上半身のアッ
プに設定したい時は、
[スタイル]の[カメラ
アングル]から[クロー
ズアップ]を選択し、
タグを追加しましょう。

設定できたら、[生成]ボタンをクリックしま
す07。

これで、架空の女子学生の縦長画像を生成でき
ました08 09。

理想の人物が生成されない場合は、複数回生成を行いましょう。今回は理想の人物ができるまで、生成を3回繰り返しました。完成した人物画像は 10 となります。

10

04 | 生成した人物を使って
デザインを作成する

この生成した人物画像を使って、学習塾の夏期講習のバナーデザインを作成します。
本作例では左側に文字情報を配置し、右側に背景を切り抜いた人物画像を配置しました。
また、文字情報に目がいくように、人物画像は左右を反転して使用しました 11 。

文字情報を配置

左右反転して利用。
体の向きが文字側
を向いているので
目がいく

生徒をモデルに起用する場合は撮影や許可どりが大変です。また、肖像権の課題もあり、左右反転のようなことは基本できません。「テキストから画像生成」を使うことでこれらの課題がクリアされ、簡単に自分で生成することができました。

COLUMN | コラム

生成AIを使った人物モデルの注意点

　Fireflyで生成した人物モデルはリアルであるがゆえに、誤解を生む可能性があります。特に、広告やメディアで使用する場合は、モデルが架空のものであることを明確に伝えるなどの配慮が必要です。
　また今回の作例で言えば、制服が決まっている特定の学校の広告では使えないケースもあります。

様々なプロンプトの使い方とアイデア

▶ Prompt
日本の女性
20歳
白い背景
着物
▶ タグ
写真

▶ Prompt
日本の男性
30歳
白い背景
スーツ
▶ タグ
写真
クローズアップ

▶ Prompt
日本の女性
60歳
メガネ
読書
▶ タグ
写真

▶ Prompt
日本の男性
50歳
白い背景
スーツ
▶ タグ
写真
クローズアップ

▶ Prompt
日本の女性
20歳
ジョギング
▶ タグ
写真

▶ Prompt
日本の男性
20歳
白い背景
Tシャツ
▶ タグ
写真
クローズアップ

▶ Prompt
日本の女性
20歳
白い背景
悲しい顔
▶ タグ
写真
クローズアップ

▶ Prompt
日本の男性
25歳
白い背景
怒った顔
▶ タグ
写真
クローズアップ

デザインのアレンジ見本

▶ **Prompt**「日本の若い女の子　9歳　笑顔　白い背景　小学生」

小学生も生成できる！

▶ **Prompt**「日本の若い男性　17歳　笑顔　白い背景　高校生　白いシャツ」

男性も生成できる！

▶ **Prompt**「日本の若い女性　17歳　笑顔　白い背景　高校生　毛糸のマフラー」

毛糸のマフラーのような小物も指定できる！

▶ **Prompt**「日本の若い男性　17歳　笑顔　白い背景　高校生　毛糸のマフラー」

男女で同じ構図のデザインも作れる！

イラストから人物写真を生成

　Fireflyの構成の「参照」を使えば、イラストの画像を参考にリアルな人物モデルを生成することもできます。

　まずは、「テキストから画像生成」の画面からプロンプトを入力します。
ここでは「笑顔の女性」とプロンプトを入力し、[生成] ボタンをクリックし、笑顔の女性を生成します。

　左側にある[構成]の[画像をアップロード]をクリックし、参照にしたいイラストをアップロードします。

　参照の［強度］を最大にして、コンテンツの種類が写真になっていることを確認して、もう一度［生成］ボタンをクリックします。

　これで、イラストを参考にリアルな人物の画像を生成することができました。構図やポーズはそのまま残っているのがわかると思います。

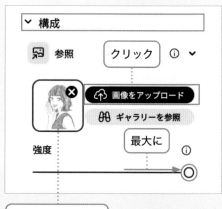

このイラストをアップロードした

参考にしたイラスト　　生成した人物画像

　右ページの上のようにFireflyの構成の「参照」を使えば、上半身だけでなく、人物の全身や、持っている小物まで生成することができます。

例えば右のように全身のイラストを使えば、全身のリアルな人物を生成することができます。

構図やポーズ、ボーダーの服、メガネやバッグといった小物まで、イラストをトレースするようにして人物写真を生成しています。

この機能は特にイラストが得意な方におすすめの方法で、細かな雰囲気を指定したい時にとても便利に使えます。クリエイティブなアイデアを実写化する際に大いに役立つでしょう。

COLUMN | コラム

生成したイラストをベクターデータにする

Fireflyで生成した画像をIllustratorでベクターデータに変換する方法を紹介します。

Fireflyで生成した画像をダウンロードします。今回はクマのフラットなイラストを生成しました。この画像をIllustratorに配置します。上のメニューから［ウィンドウ］→［画像トレース］を選択して、画像トレースのパネルを表示します。プリセットから画像に合いそうな項目を選択します。今回は「6色変換」を選択します。

プレビュー画面を見て、良い感じになっていたらオプションバーの「拡張」のボタンをクリックします。これでパスが作成され、画像をベクターデータにすることができます。

▲ 6-5 テキストから画像生成の作例見本

「**テキストから画像生成**」は、プロンプト、構成、スタイルを工夫することで様々な画像を生成することができます。ここでは生成した画像の例を、「アート」と「写真」に分けて紹介します。

コンテンツの種類：アート

▶ **Prompt**
「髪に花をまとった女性」
▶ **タグ**
デジタルアート、パステルアート、ファンタジー

▶ **Prompt**
「空に浮かぶ可愛いお城 メルヘン」
▶ **タグ**
アイソメトリック、3D、パステルカラー

▶ **Prompt**
「ヨークシャーテリアの子犬 カラフルな切り絵」
▶ **タグ**
ミニマリズム、折り紙、彫紙、鮮やかなカラー、クローズアップ

▶ **Prompt**
「森の中を散歩する猿のキャラクター 帽子とトレンチコート 春 朝日と露のある早朝」
▶ **タグ**
3D、カートゥーン

▶ **Prompt**
「暑くて晴れた昼 麦わら帽子 白いワンピースの女性の後ろ姿 ひまわり畑」
▶ **タグ**
アニメ

▶ **Prompt**
「本を読む女性 ランプの光 神秘的な夜 ヨーロッパ」
【タグ】コンセプトアート

▶ **Prompt**
「虎の顔 鉛筆デッサン」
▶ **タグ**
クローズアップ、白黒、線画
▶ **スタイル参照**

▶ **Prompt**
「魔法の杖を持つ王冠を被ったスケルトンキングキャラクター ダークエディション 月明かりの下 ファンタジー中世」
▶ **タグ**
白黒、微光、窓越しの撮影

▶ **Prompt**
「男性の横顔 白い背景 モノクログレースケール」
▶ **タグ**
木炭画、アクリル絵の具、ペンキの飛び散り、スパッタリング、水彩画

▶ **Prompt**
「女性 ポスター 壁紙 ファッショナブルな絵画 ポップアート イラスト」
▶ **タグ**
ポップアート
▶ **構成参照**
▶ **スタイル参照**

Generative AI

コンテンツの種類：写真

▶ **Prompt**
「テニスボールを走って追いかける可愛い犬」

▶ **タグ**
なし

▶ **Prompt**
「水面に浮かぶ紅葉　反射する山々」

▶ **タグ**
鮮やかなカラー、長時間露出、風景写真

▶ **Prompt**
「チョコレートソースと粉砂糖をトッピングした白いケーキ　ブラックチェリーのトッピング　古い木の板」

▶ **タグ**
あおり、スタジオ照明、落ち着いたカラー

▶ **Prompt**
「地平線に沈む太陽の写真ビーチの海岸から夕日を眺めるカップル」

▶ **タグ**
超現実的、ゴールデンアワー、広角

▶ **Prompt**
「仰向けに寝そべる薄黄色の猫　舌を出している」

▶ **タグ**
インテリアデザイン

▶ **Prompt**
「チューリップ　水滴雨」

▶ **タグ**
ドラマチックな照明、マクロ写真

▶ **Prompt**
「パンケーキ　ブルーベリー　お洒落な盛り付け素朴な食器」

▶ **タグ**
落ち着いたカラー、俯瞰

▶ **Prompt**
「髪を風になびかせたレーシングバイクに乗った日本の女性」

▶ **タグ**
超現実的、広角、暖色

▶ **Prompt**
「レインボーの花　白い背景」

▶ **タグ**
なし

▶ **構成参照**

▶ **Prompt**
「目を閉じた女性の横顔」

▶ **タグ**
なし

▶ **構成参照**

法律の専門家に聞く 生成AIの注意事項

Q1 生成AIの利用時には著作権法に特に注意すべきだと聞きました。著作権とは何ですか？

著作権とは、写真、イラスト、絵画、文書などの創作性のあるもの（著作物）に生じる権利をいいます。著作者に無断で著作物の複製や改変等を行うと、著作権法で許された例外的な場合を除き、著作権の侵害になります。

Q2 生成AIで作成した写真風の画像をSNSに掲載していたところ、ある人から「私の写真によく似ており、著作権を侵害している」と主張されました。その主張がされるまでその人の写真のことは全く知らなかったのですが、確認してみると確かに似ていました。著作権侵害になりますか？ 侵害になる場合、どうなるのでしょうか？

著作権侵害になるのは、AI生成物が、第三者のイラストに類似しており、かつ、作成者が当該著作物に依拠している場合です。AIを使わない人の手による創作の場合、第三者の著作物と類似してしまっても当該著作物を知らなかった時には依拠性が認められないのが通常ですが、生成AIを利用する場合、利用者が第三者の著作物のことを知らなかったとしても、利用した生成AIが当該著作物を学習していた時には依拠性が認められることがありますので、注意が必要です。

ただし、Adobe Fireflyについては、Adobe Stock等のアドビ社がライセンスを付与されたデータや、著作権の保護期間が過ぎたデータを使って学習しているとされているため、第三者の著作権を侵害するリスクは比較的低いといえるでしょう。

仮に著作権侵害が認められた場合、AI生成物の利用の差止めや損害賠償請求等がなされうるほか、一定の場合は刑事罰も定められています。

※ アドビ社Webページ（https://www.adobe.com/products/firefly.html）参照。

Q3 生成AIで作成した写真風の画像をSNSに掲載していたところ、他の人が無断利用していました。気に入った画像が出るまで、何度も試行錯誤してプロンプトを入力し、出力された多くの画像から厳選して掲載していたので、無断利用は許せません。私のSNSのプロフィール欄には「掲載画像の無断利用禁止」とも書いていました。無断利用をやめさせることはできますか。

　第三者による画像の無断利用が著作権侵害に該当すれば、一定の条件下で利用の差止めを請求することが可能です。そのためには、前提としてAI生成物に著作権が生じることが必要ですが、AI生成物それ自体には基本的に著作権が発生しません。ただし、生成AIから出力された画像を加工した場合には、加工部分に著作権が認められ得るほか、プロンプトの内容・生成の試行回数・複数の生成物からの選択等を考慮して創作性が認められれば、AI生成物に著作権が認められることがあります。これらの場合には、著作権侵害を理由として他の人の無断利用をやめさせることが可能になり得ます。なお、「無断利用禁止」と書いていたとしても、それだけでは「無断利用しない」という契約が締結されるわけではないので、著作権が発生していない場合には、「無断利用禁止」と記載していたことをもって無断利用をやめさせることは法的には難しいでしょう。

Q4 好きなアーティストの詩のイメージに合う写真風の画像を作ろうと思い、プロンプトに詩を入力して画像を生成したいのですが、第三者の詩を勝手に入力してもよいのでしょうか。

　詩には通常著作権が発生しますので、著作者の承諾なく利用することは、著作権法で認められている場合を除き、著作権の侵害になります。もっとも、著作権法は情報解析に用いる場合等には原則として著作物の利用を認めており（著作権法30条の4）、生成AIのプロンプトとして著作物を入力することは基本的にこの「情報解析」に該当するため、著作権を侵害しないと考えられています。ただし、生成AIが生成した画像の中に詩が書いてあるなど、AI生成物が著作権を侵害することにならないかは注意が必要です。

| Profile

タマケン

1988年生まれ
Webデザイナー / グラフィックデザイナー。
ブログやYouTube、SNSにてPhotoshopとIllustratorのチュートリアルを発信。
SNS総フォロワー数18万人（2024年5月時点）。
Adobe Japan プレリリースアドバイザー。

- X：https://twitter.com/DesignSpot_Jap
- Instagram：https://www.instagram.com/designspot_japan
- YouTube：https://www.youtube.com/@design_spot
- Tiktok：https://www.tiktok.com/@tamaken_designspot?lang=ja-JP
- ブログ Design Spot：https://design-spot.jp

執筆協力 (P.252-253「法律の専門家に聞く 生成 AI の注意事項」COLUMN)

阿部・井窪・片山法律事務所

- 柴山　吉報
- 柴崎　拓

使用素材

- Adobe Stock：https://stock.adobe.com/jp/
- Unsplash：https://unsplash.com/ja

▌本書のサポートページ

本書をお読みいただいたご感想、ご意見を下記URL、QRコードよりお寄せください。

https://isbn2.sbcr.jp/25108/

フォト ショップ アンド イラスト レーター アンド ファイヤーフライ
Photoshop & Illustrator & Firefly
せい せい エーアイ　　　　　　　　せい さく にゅう もん
生成 AI デザイン制作入門ガイド

2024年 6月18日　初版第1刷発行
2024年 8月29日　初版第3刷発行

著　者 ························· タマケン
発行者 ························· 出井 貴完
発行所 ························· SBクリエイティブ株式会社
　　　　　　　　　　　　〒105-0001　東京都港区虎ノ門2-2-1
　　　　　　　　　　　　https://www.sbcr.jp
印刷・製本 ·················· 株式会社シナノ
カバーデザイン ············· 西垂水 敦　市川さつき (krran)
本文デザイン ··············· ねこひいき
イラスト ····················· ぽんすけかいかい
組　版 ························· ファーインク
編　集 ························· 鈴木 勇太

落丁本、乱丁本は小社営業部 (03-5549-1201) にてお取り替えいたします。
定価はカバーに記載されております。

Printed in Japan ISBN 978-4-8156-2510-8